D1107729

L'éducation gourmande *de* Flaubert

« Moi dont l'esprit se noyait sur les limites de la création, qui étais perdu dans tous les mondes de la poésie, qui me sentais plus grand qu'eux tous, qui recevais des jouissances infinies et qui avais des extases célestes devant toutes les révélations intimes de mon âme. Moi qui me sentais grand comme le monde... »

Gustave Flaubert

Concept graphique : francis m

Connectez-vous sur :
www.lamartiniere.fr

ISBN : 2-8307-0761-3

L'éducation gourmande de Flaubert

Gonzague Saint Bris

Minerva

Prologue

Un grand créateur sociable et solitaire

À l'exception, peut-être, d'Alexandre Dumas père, qui annonçait : « Flaubert ? C'était un géant qui abattait une forêt pour faire une boîte ! », ses contemporains ne l'ont pas compris. La postérité, pourtant, retiendra assurément son nom comme celui d'un des plus grands écrivains de langue française, même si son œuvre est infiniment moins abondante que celle d'un Balzac, d'un Dumas ou d'un Zola, quelques titres seulement – mais quels titres ! – *Madame Bovary, L'Éducation sentimentale, Salammbô, La Tentation de saint Antoine, Bouvard et Pécuchet*...

C'est que cet immense créateur visionnaire a, plus que d'autres, cent fois sur le métier remis son ouvrage, quitte à écrire et réécrire certains de ses livres tout au long de sa vie, pour arriver à cette perfection dictée par l'idée, quelque peu obsessionnelle, que « une œuvre n'a d'importance qu'en vertu de son éternité » et que, pour y parvenir, une vie n'était pas de trop. Surtout que, contrairement à tant d'autres, c'est pour lui seul qu'il écrivait, comme il le confiait à Maxime Du Camp : « Être connu n'est pas ma principale affaire. Je vise à me plaire et c'est plus difficile. » Singulière maîtrise du reste, rare minutie, précision quasi horlogère et presque maniaque qu'on n'aurait pas crues possibles chez un homme si puissamment extraverti, au physique comme au moral, selon les exigences d'un corps sanguin et d'un esprit fougueux qui vivait sans retenue ses formidables appétits sexuels et nutritifs, son intense curiosité, son goût des voyages et de l'aventure, même s'il dut attendre l'âge de trente ans pour avouer à sa mère qu'il avait une maîtresse !
Car Flaubert, qu'Edmond de Goncourt décrit avec un réalisme brutal – « le bombé bête de son front, le larmoiement de sa paupière inférieure, son nez rouge, ses moustaches tombantes me rappellent un domestique de bordel de l'École militaire en tenue de garçon d'honneur d'une noce aux vendanges de Bourgogne » –, est avant tout un authentique mâle hyperactif et sanguin, jouisseur impénitent de tous les pores de sa peau. Toujours prêt à avaler un morceau, à lutiner les filles, à grimper en diligence pour aller voir ailleurs quelle est la couleur du ciel, un être qui, dans ses correspondances, ne s'embarrasse guère de raffinement, écrivant un chat un chat, tour à tour joyeux et désespéré, enthousiaste et pessimiste, gourmand et écœuré, peut-être parce qu'il se situe au confluent de ce romantisme dont toute sa jeunesse s'est nourrie et du réalisme, bientôt du naturalisme par lequel, la maturité et le crépuscule venus, il va prendre congé de l'existence en gastronome repu, d'une phrase évoquant parfaitement son double amour de la vie et son mal-de-vivre chronique : « C'est étrange comme je suis né avec peu de foi au bonheur. J'ai eu tout jeune un pressentiment complet de la vie. C'était comme une odeur de cuisine nauséabonde qui s'échappait par un soupirail. On n'a pas besoin d'en avoir mangé pour savoir qu'elle est à faire vomir. » Qu'on songe que ce dégoût – si psychanalytiquement révélateur ! – est en partie motivé par l'idée que les siens avaient de lui – « l'idiot de la famille » dont Jean-Paul Sartre a fait le titre d'un magistral effet – mais aussi en partie motivé par le fait que, malgré toutes les femmes à qui il fit l'amour, il n'en rencontra jamais une pour vivre avec, regrettant jusqu'au soir de sa vie de n'avoir pas connu l'amour tout simplement, avec son essentialité, celle d'un appétit satisfait.
Flaubert, en effet, est double. Il est, d'un côté, cet être profondément mélancolique, qui a grandi dans un hôpital et joué sous les fenêtres d'un amphithéâtre d'anatomie où son père et ses élèves disséquaient les

cadavres et, de ce fait, extraordinairement sensible – d'une manière presque féminine – à la détresse de la condition humaine, lui dont la fin de vie sera de surcroît attristée par l'épuisement progressif, la perte de ses biens et les ravages de la solitude. Mais il est, de l'autre, un bon vivant, élevé dans une famille gaie, qui n'aime rien tant que toutes les nourritures terrestres, bien décidé à mener une existence intense et enthousiaste, à assouvir tous ses désirs à coup de bons mots, de farces et parfois même d'extravagances, à la manière d'un personnage autobiographique qu'il invente dès sa jeunesse, « le garçon », cynique et excentrique, prompt à effaroucher le bourgeois, cet idéal de la monarchie de Juillet qu'il méprise. Ainsi cette fringale de ce qu'on appelle en Normandie « un chantre », il ne la cache guère, écrivant un jour à sa nièce, « je m'empiffrerai, ça me distraira », ou un autre, à l'occasion de vacances à Trouville, « je vais manger, fumer, bailler au soleil, dormir surtout », programme accompli, comme il le confirme à l'issue du séjour : « Je m'amuse beaucoup à l'heure des repas, car je mange énormément de matelote. Je dors une douzaine d'heures, assez régulièrement toutes les nuits et, dans le jour, je fume passablement. » Et que dire lorsque le provincial, qu'il fut toujours, et le Parisien qu'il fut parfois, écrivait à son retour de Carthage : « Déjeuner solide à Dijon. Ennui de l'après-midi. Chaleur. Quel sot pays que la France ! Paris. Le boulevard en été. Ma maison vide. Bousculade pour aller chez Feydeau. On me sert à dîner. Souper au Café Anglais. Déjeuner au Café Turc... »

Gustave Flaubert

C'est qu'outre les exigences de sa nature – que décrit encore Edmond de Goncourt, remarquant sa singulière ressemblance avec Frédérick Lemaître, « très grand, très fort, de gros yeux saillants, des paupières soufflées, des joues pleines, des moustaches rudes et tombantes, un teint martelé et plaqué de rouge » – l'écrivain adore l'excès, lui, le Normand qui se décrit ainsi, plus méridional qu'un Marseillais, à l'un de ses amis : « Premièrement, dès l'âge le plus tendre, j'ai dit tous les mots célèbres de l'histoire. Deuxièmement, j'étais si beau, que les bonnes d'enfants me baisaient à s'en décrocher les épaules. Troisièmement, j'annonçais une intelligence démesurée ; quatrièmement, j'ai sauvé des incendies quarante-huit personnes ; cinquièmement, par défi, j'ai mangé un jour quinze aloyaux ; sixièmement, j'ai tué en duel trente carabiniers. Septièmement, j'ai fatigué le harem du Grand Turc. » Tel est cet homme, blagueur impénitent en public, bon camarade et amant passionné, mais aussi observateur lucide et averti de l'âme humaine et de la société de son temps, à l'image d'un Schopenhauer, qui plus est d'une hypersensibilité maladivement nerveuse – « Madame Bovary, c'est moi ! » – et travailleur acharné dans la solitude de la nuit. Cette détresse permanente, cette extrême difficulté – masochiste, a conclu Sartre – de sa mission – baptisée par lui « les affres du style » –, il ne peut que l'avouer avec la pudeur des « grandes gueules », comme il l'exprime si bien dans cette invitation adressée aux frères Goncourt, ses complices habituels, pour leur faire découvrir Salammbô : « C'est lundi qu'aura lieu la solennité. Gris ou non, tant pis merde ! Voici le programme : un je commencerai à hurler à quatre heures juste, donc venez vers trois. Deux, à sept heures, dîner oriental, on vous y servira de la chair humaine, des cervelles de bourgeois et des clitoris de tigresses sautés au beurre de rhinocéros. Trois, après le café, reprise de la gueulade unique jusqu'à la crevaison des auditeurs. Ça vous va-t-il ? »
C'est pourquoi la cuisine, chez celui en qui on peut légitimement voir le père du roman moderne, n'est pas seulement la satisfaction évidente de l'appétit d'un sanguin débridé qui, comme beaucoup d'hommes de son

temps, va probablement finir d'une crise d'apoplexie. Elle est d'abord le prétexte à partager avec d'authentiques amis, au sens le plus humain du terme, ses idées et ses conceptions de l'art au cours d'agapes infiniment renouvelées dans lesquelles, trompant sa solitude d'enfant incompris, il sécurise ses angoisses intérieures qui, au fond, l'ont empêché de vivre. Elle est ensuite – et cela sera plus visible encore chez les auteurs de l'école naturaliste, dont Flaubert est le père, et singulièrement chez Huysmans, chez Maupassant, chez Daudet et chez Zola – la métaphore de toute activité libidinale, la sublimation du désir érotique que ces prétendus mâles pouvaient exercer en toute quiétude sociale dans les restaurants du Paris d'alors. Elle est enfin le prétexte à taper sur le bourgeois dont le modèle absolu, Thiers, lui inspire cette remarque gastronomico-politique, elle encore si révélatrice de sa répulsion/attirance pour la satisfaction de la bouche, « un vieux melon diplomatique poussé sur le fumier de la bourgeoisie ».
Les menus, en effet, sont, dans les romans de Flaubert, présentés au lecteur pour accentuer la ridicule prétention de son ennemi naturel ou pour souligner la traditionnelle sottise qu'il lui prête, comme ces quelques définitions glanées dans l'inachevé *Dictionnaire des idées reçues* : « Le Macaroni doit se servir avec les doigts, quand il est à l'italienne » ; « La cuisine de restaurant est toujours échauffante, bourgeoise, toujours saine, du Midi, trop épicée ou trop à l'huile » ; « Le pot-au-feu n'est bon que chez soi » ; « Langouste, femelle du homard ». Mais la gastromie – et cela est plus révolutionnaire ! – sert aussi « l'art pour l'art », dans la fidèle restitution de la réalité et dans l'authenticité et la sincérité de son œuvre. En décrivant les plats dont se sustentaient les personnages de *La Comédie humaine*, Balzac a ôté un tabou et ouvert la voie. En devenant romancier et cuisinier, Dumas a suivi. Flaubert et ses amis ont parfaitement compris la leçon et vont, à leur tour, l'appliquer, lucidement, comme lui-même le dit bien : « Il y a en moi, littéralement parlant, deux bonshommes distincts : un qui est épris de gueulades, de lyrisme, de grands vols d'aigle, de toutes les sonorités de la phrase et des sommets de l'idée ; un autre qui fouille et creuse le vrai tant qu'il peut, qui aime à accuser le petit fait aussi puissamment que le grand, qui voudrait vous faire sentir presque matériellement les choses qu'il reproduit : celui-là aime à rire et se plaît dans les animalités de l'homme. » Quelle animalité est-elle plus essentielle que celle de l'estomac, éternel révélateur de la détresse humaine et fidèle témoin de la couleur littéraire, comme l'ont si bien défini les Goncourt, en notant qu' « un temps dont on n'a pas un échantillon de robe et un menu de dîner, l'histoire ne la voit pas vivre » ?

Cidre, calvados, pommeau, poiré, boire en Normandie.

La Normandie existerait-elle sans la pomme, ou mieux, sans ses pommes, car il y en a plus de soixante variétés répertoriées, merveilleux fruit dont le jus, fermenté, devient cidre – « le bon bère » – et, distillé, calvados, quand, l'un et l'autre mélangés – mais ces derniers produits sont plus récents – deviennent pommeau ou poiré, plaisirs secrets du gastronome repu ?
Le cidre d'abord : non seulement Flaubert le revendique comme l'un des symboles de sa province natale – « Je suis un barbare. J'en ai l'élan, l'entêtement, l'irascibilité. Normands, tous tant que nous sommes, nous avons quelque peu de cidre dans les veines. C'est une boisson aigre et fermentée qui quelquefois fait sauter la bonde » – mais encore en fait-il

grand usage dans la vie quotidienne, quitte à l'alterner, sur sa table, avec les grands crus amassés par son père. Si les historiens s'accordent à affirmer que l'origine du cidre se trouve bien dans la côte nord-ouest de l'Espagne, nul ne sait si sa fabrication, attribuée à un certain Guillaume Dursus, débute, en Normandie, avant ou après le XVe siècle, époque où Gilles de Gouberville distille, en Cotentin, dans le premier pressoir répertorié. Quoi qu'il en soit, tous les poètes normands célèbrent, dès la Renaissance, « le syldre de Normandie » (Olivier Basselin) ou « le beau sidre » (Le Houx) qu'à partir du règne de Louis-Philippe justement – c'est-à-dire pendant la jeunesse de Flaubert – on améliore grandement. Ceci, sans doute, explique pourquoi les bourgeois n'hésitent pas à consommer à leur tour cette boisson demeurée jusque-là celle des paysans – quoique, dit-on, François Ier lui-même ne la dédaignât pas – et pour laquelle, peu à peu, les Français avaient abandonné l'antique cervoise.
Flaubert sacrifie-t-il encore à la traditionnelle « rincette » des paysans de son ami Guy de Maupassant, c'est-à-dire cette eau-de-vie de qualité souvent inégale ? On ne saurait en douter, même si, à l'instar de Balzac, il demeure plutôt sobre quand il écrit. Mais l'eau-de-vie, bien plus que le café (encore trop onéreux pour les bourses rurales), rythme la vie quotidienne des fermes normandes au XIXe siècle, selon un cérémonial immuable, avec un premier verre (la rincette), un deuxième (le gloria), un troisième (la déchirante) et un quatrième (le coup de pied au cul). Encore convient-il de ne pas confondre la banale eau-de-vie avec le noble calvados, qui est à la pomme ce que le cognac ou l'armagnac sont aux raisins, et qu'on ne peut élaborer qu'avec un cidre titrant à 45° d'alcool au minimum. Boisson ancienne, là encore, que prisait déjà le roi Charles V au XIVe siècle, quand, dans son château fort du Louvre, il lançait à ses intimes « Messieurs, il n'y a plus ici de roi de France » lorsqu'il en avait trop bu. C'est avec lui que se fait le fameux « trou normand » des grandes occasions – un peu comme la cérémonie du thé au Japon –, celui aussi qui, avec le café, termine ou, mieux, selon l'expression normande « coiffe » les repas fins, comme ceux de Flaubert et de ses personnages, heureux de déguster cet alcool incomparable, vieilli dix ou quinze ans, jetant du baume au cœur et de la folie dans la tête.
Gare donc aux excès qui font souvent s'enflammer les esprits, ainsi que Flaubert le romancier le raconte à l'issue du baptême de la petite Berthe Bovary : « Le soir de la cérémonie, il y eut un grand dîner ; le curé s'y trouvait ; on s'échauffa. M. Homais, vers les liqueurs, entonna « Le Dieu des bonnes gens ». M. Léon chanta une barcarolle et Madame Bovary mère, qui était la marraine, une romance du temps de l'Empire ; enfin, M. Bovary père exigea que l'on descendît l'enfant et se mit à le baptiser avec un verre de champagne qu'il lui versait de haut sur la tête. Cette dérision du premier des sacrements indigna l'abbé Bournisien ; le père Bovary répondit par une citation de la « guerre des dieux », le curé voulut partir ; les dames suppliaient ; Homais s'interposa, et l'on parvint à faire rasseoir l'ecclésiastique qui reprit tranquillement, dans sa soucoupe, sa demi-tasse de café à moitié bue. » Au reste, n'est-ce pas en sortant d'un gueuleton, sans doute trop arrosé, que ce même beau-père d'Emma prend congé du lecteur, lui dont Flaubert – par une fulgurante vision de son propre avenir – écrit : « étant mort, à Doudeville, dans la rue, sur le seuil d'un café, après un repas patriotique avec d'anciens officiers » ?

Sommaire

La famille Flaubert à table

C'est une famille de bourgeois normands, prospères et sanguins, comme Balzac justement aurait pu en mettre en scène dans ses romans s'il n'avait été tourangeau, appliquant l'adage célèbre, « Qui a fait Normand a fait gourmand ». Au cœur d'une province aussi riche en produits du terroir – et l'une des plus riches de France à l'époque où le futur écrivain y voit le jour – nul doute que le docteur Achille-Cléophas Flaubert – même si celui-ci, en fait, est champenois d'origine –, sa femme, née Anne-Justine-Caroline Fleuriot, et leurs trois enfants Achille, Gustave – né le 12 décembre 1821 – et Caroline, pratiquent l'art de bien vivre et donc de bien manger, dans l'appartement de fonction du chef de famille, chirurgien en chef et directeur de l'hôtel-Dieu de Rouen, 17 rue Lecat, comme plus tard allait le définir un autre écrivain normand, Guy de Maupassant, fils spirituel de Flaubert : « J'aime ce pays et j'aime y vivre parce que j'y ai mes racines, ces profondes et délicates racines qui attachent un homme à la terre où sont nés et morts ses aïeux, qui l'attachent à ce qu'on pense et à ce qu'on mange, aux usages comme aux nourritures, aux locutions locales, aux intonations des paysans, aux odeurs du sol, des villages et de l'air lui-même. » Le ménage Flaubert en effet est fort aisé – ce qui va permettre à son fils cadet, comme plus tard Marcel Proust, de vivre sans travailler –, considéré et même honoré dans la capitale de la Basse-Normandie où les grandes capacités du médecin sont reconnues de tous. C'est pourquoi, à table, la famille abandonne au peuple le pain de ménage fait tous les dix ou douze jours, le lard bouilli avec des pommes de terre ou des choux, les bas morceaux de bœuf et les trop paysans ragoûts de lapin, voire la bouillie de blé noir détrempée avec du gros lait écrémé qui constitue encore l'essentiel de l'ordinaire des plus pauvres se plaignant ainsi de cette misère d'un proverbe bien connu : « Ventre plein de bouillie ne dure qu'une heure et demie. » Les Flaubert, en conséquence, consomment ainsi les plus relevées rouelles de veau à la casserole, les poulets gras ou les oies aux pruneaux, le canard au sang, les poules à la sauce blanche, l'andouille de Vire, appréciée depuis un siècle déjà, la sole normande inventée par le grand maître Carême, ainsi que les incontournables tripes à la mode de Caen et les meilleures pièces de ce bœuf incomparable qui, du pays de Bray au Cotentin, se nourrit de la richesse des herbages humides, ou de ces agneaux qui, eux, broutent les prés salés par la mer leur donnant cette saveur si particu-

lière, viandes préférées de la bourgeoisie du temps qui, en règle générale, ne prise guère le porc.
Ces remarquables mets sont, il va sans dire, régulièrement habillés de la célèbre crème à couleur d'ivoire, veloutée et moelleuse à souhait, qui sied si bien aux poissons, aux œufs, aux volailles et aux viandes blanches, et s'accompagnent toujours d'un bon pain de froment pur, du célèbre beurre – celui d'Isigny, en particulier – dont la réputation court sur toutes les tables d'Europe et, avec lui, de ces onctueux fromages, dont les principaux sont le camembert – non pas mis au point par Marie Harel en 1791, comme le rapporte une jolie légende, mais beaucoup plus tard, sous le Second Empire – le pont-l'évêque, le livarot, le mignot, le briquebcc, le brillat-savarin, le petit-suisse et le neufchâtel.
Quant aux desserts, la famille n'a que l'embarras du choix, avec, en général, le riz, accommodé ici à la cannelle , puisque jusqu'à la fin du XIXe siècle, ce produit n'est pas considéré comme un légume mais une base de pâtisserie, et plus encore des spécificités normandes, sucres d'orge à la pomme de Rouen, pommes en pâte d'amande gonflées, garot (petit pain blanc à croûte légère et dorée), fallue (brioche), gâche (galette de pâte à pain) ou certaines spécialités qu'on retrouve dans *Madame Bovary*, comme ces petits pains appelés « cheminots », vendus « tout chauds, tout bouillants, sortant du four au marchand », ou encore ces autres, faisant l'objet d'une description plus précise : « Madame Homais aimait beaucoup ces petits pains lourds, en forme de turban, que l'on mange dans le carême avec du beurre salé, dernier échantillon des nourritures gothiques, qui remonte peut-être au temps des

croisades et dont les robustes Normands s'emplissaient autrefois, croyant voir sur la table, à la lueur des torches jaunes, entre les brocs d'hypocras et les gigantesques charcuteries, des têtes de Sarrasins à dévorer. La femme de l'apothicaire les croquait comme eux, héroïquement, malgré sa détestable dentition ; aussi, toutes les fois que M. Homais faisait un voyage à la ville, il ne manquait pas de lui en rapporter, qu'il prenait toujours chez le grand faiseur, rue Massacre. »

Le prestige d'un médecin est grand en cette première moitié du XIXe siècle, où le scientisme a fait sortir la corporation du rang des domestiques dans lequel, à quelques exceptions près, l'Ancien Régime les reléguait encore, et naturellement, c'est bien souvent avec de petits cadeaux alimentaires que les patients, guéris par le docteur Flaubert, lui prouvent sa reconnaissance. L'écrivain évoquera ainsi, à la table des Goncourt, les bourriches chargées de diverses bonnes choses adressées au médecin, tandis qu'on retrouve dans les dons faits à Charles Bovary « des petits pots de crème ou des poires cuites », fleurons de la gastronomie traditionnelle normande, quand il ne s'agit pas d'une belle volaille, comme celle que le futur beau-père de Bovary lui offre, chaque année, en commémoration de son opération. Encore que les enfants Flaubert connaissent aussi les friandises des apothicaires, dont l'écrivain énumère les variétés – toujours dans *Madame Bovary* – insistant plus particulièrement sur « six boîtes de jujubes, un bocal entier de racahout, trois coffins de pâte à la guimauve, et de plus six bâtons de sucre candi » que le pharmacien Homais apporte à l'occasion du baptême de la petite Berthe.

Comme tous les Normands, les Flaubert aiment traîner à table, ce lieu privilégié de la sociabilité du XIXe siècle qu'avec sa cruauté habituelle Edmond de Goncourt, grand ami de Flaubert, décrit dans son *Journal* : « En province, la vie tourne autour de la table. Les souvenirs de famille sont des souvenirs de galas. La cuisine y est l'âme de la maison ; et dans un coin, les aïeules parlent d'une voix cassée des pêches qui étaient plus belles de leur temps et des écrevisses dont un cent, en leur jeune temps, emplissait une hotte. Le tourne-broche est comme le pouls ronflant de la vie provinciale. L'appétit y est une institution ; le repas une cérémonie bienheureuse, la digestion une solennité. La table en province est ce qu'est l'oreiller conjugal au ménage, le lien, le rapatriement et la patrie. Ce n'est plus un meuble, c'est presqu'un autel. L'estomac prend en province quelque chose d'auguste et de sacro-saint. Le ventre n'est plus ventre, mais quelque chose de soi, d'où se répand, dans tout le corps, une joie animale et saine, une plénitude et une paix, un contentement des autres et de soi, une douce paresse de tête et de cœur et le plus tranquille acheminement de l'homme vers une belle apoplexie. » Les domestiques de la famille Flaubert sont-ils nourris comme leurs maîtres ? Rien n'est moins sûr ! La condition des plus humbles est encore difficile et Gustave le sait bien qui, dans *Un cœur simple*, met en scène la servante Félicité, modèle plus que réel puisque celle-ci, qui se nommait Julie, était en fait celle de sa famille à Rouen : « Elle se levait dès l'aube pour ne pas manquer la messe et travaillait jusqu'au soir sans interruption ; puis, le dîner étant fini, la vaisselle en ordre et la porte bien close, elle enfouissait la bûche sous la cendre et s'endormait devant l'âtre, son rosaire à la main. Personne, dans les marchandages, ne montrait plus d'entêtement. Quant à la propreté, le poli de ses casseroles faisait le désespoir des autres servantes. Économe, elle mangeait avec lenteur, et recueillait du doigt sur la table, les miettes de son pain, un pain de douze livres, cuit exprès pour elle, et qui durait vingt jours. »

Celle des fermiers, à tout va, paraît plus satisfaisante – et les Flaubert sont propriétaires de nombreuses fermes – chez qui les maîtres s'invitent quelquefois pour rappeler leurs droits – quasi féodaux chez ces bourgeois dont l'idée de propriété est d'ordre mystique – comme dans cette même nouvelle où l'écrivain, évoquant sans doute un souvenir d'enfance, narre un repas ainsi offert : « Elle lui servit un déjeuner où il y avait un aloyau, des tripes, du boudin, une fricassée de poulet, du cidre mousseux, une tarte aux compotes et des prunes à l'eau-de-vie, accompagnant le tout de politesses à Madame qui paraissait en meilleure santé et à Mademoiselle devenue magnifique, à M. Paul [Gustave lui-même il va sans dire] singulièrement forci », détail qui, à l'époque, est un compliment. Celui-ci cependant s'adresse bien aux bourgeois et pas aux propres domestiques du paysan normand, âpre au gain et parfois terriblement regardant, comme le père d'Emma Bovary, qui se voit contraint de jeter dehors un de ses bergers à cause « de sa trop grande délicatesse de bouche » !

Canard rouennais à la presse, pommes gaufrettes

Ingrédients

POUR 4 PERSONNES

2 canards rouennais étouffés de 1,5 kg chacun
1 cuillerée à soupe d'huile d'arachide
1 petit verre à liqueur de calvados
3 cuillerées à soupe de crème liquide
50 cl de fond de canard
sel
poivre du moulin

Le fond de canard

400 g d'abattis de canard
1 carotte
1 oignon
1 blanc de poireau
1 échalote
10 cl de vin rouge
1 bouquet garni
sel
poivre en grains

Les pommes gaufrettes

2 grosses pommes de terre agria
1 litre d'huile pour friture
sel fin

Demandez à votre volailler de préparer les canards de la façon suivante : les vider en réservant les cœurs et les foies ; éliminer le bréchet, flamber et brider les canards. Demandez également au volailler de vous réserver quelques parures de canard afin de confectionner le fond.
Préchauffez le four à 240 °C (th. 8).
Réalisez d'abord le fond de canard : étalez sur une plaque les abattis de canard et faites-les dorer à four chaud. Quand ils commencent à colorer, ajoutez les légumes taillés en dés de 1 cm environ (mirepoix) et laissez prendre une belle couleur. Débarrassez le tout dans une casserole, ajoutez le vin rouge, et laissez réduire de moitié. Mouillez d'eau à hauteur (le liquide doit arriver à hauteur des ingrédients), ajoutez le bouquet garni, portez à ébullition, écumez et laissez mijoter 1 h 30 à petit frémissement. Passez au chinois et ajoutez un peu de sel et quelques grains de poivre. Réservez. Vous devez obtenir au moins 50 cl de fond de canard.
Dans une grande cocotte, faites chauffer l'huile et faites-y colorer les canards sur toutes leurs faces. Salez, poivrez. Glissez la cocotte au four et faites cuire 25 minutes en arrosant les canards avec le jus de cuisson toutes les 5 minutes.
Laisser reposer les canards 10 minutes hors du four, puis détachez les cuisses et les filets. Gardez précieusement les carcasses.
Dans le bol d'un robot, mixez les foies et les cœurs des canards avec le calvados et la crème liquide. Concassez les carcasses avec un grand couteau, puis faites-les cuire 10 minutes dans le fond de canard. Passez le tout à la presse à canard pour bien extraire tous les sucs, ajoutez les foies et les cœurs mixés pour lier la sauce. Remettez cette sauce sur feu doux sans la faire bouillir, passez-la au chinois et réservez au bain-marie.
Faites chauffer l'huile de friture à 180 °C. Pelez les pommes de terre et taillez-les en gaufrettes à l'aide d'une mandoline ou d'un robot. Essuyez-les soigneusement dans un linge, puis faites-les bien dorer dans l'huile. Égouttez-les et salez-les.
Dans un plat, faites réchauffer les filets de canard avec la sauce et servez bien chaud, accompagné des pommes gaufrettes.

Tripes à la mode de Caen

Ingrédients

POUR 4 PERSONNES

2 kg de tripes prêtes à cuire
2 pommes reinettes
350 g d'oignons
350 g de carottes
3 gousses d'ail
1 bouquet garni (thym, laurier, persil)
quelques grains de quatre-épices (poivre de la Jamaïque)
1/2 pied de bœuf fendu sur la longueur
500 g de lard gras taillé en larges lanières
1 litre de cidre brut
300 g de farine (pour la pâte à luter)
sel
poivre du moulin

Faites blanchir les tripes quelques instants à l'eau bouillante salée. Égouttez-les, rafraîchissez-les sous l'eau froide courante et coupez-les en morceaux de 5 cm.
Pelez les pommes reinettes et coupez-les en quartiers. Retirez les pépins. Émincez les oignons, coupez les carottes en grosses rondelles. Hachez l'ail.
Garnissez le fond d'une tripière (ou, à défaut, d'une grande cocotte) de lanières de lard gras. Disposez-y les quartiers de pomme, les oignons, les carottes, l'ail, le demi-pied de bœuf et enfin les tripes. Ajoutez le bouquet garni, les quatre-épices ; salez et poivrez. Mouillez avec le cidre et complétez avec de l'eau pour arriver à hauteur des tripes. Recouvrez des lanières de lard gras restantes.
Préparez la pâte à luter en pétrissant la farine dans un saladier avec juste assez d'eau pour confectionner une pâte ferme et élastique. Façonnez cette pâte en bande et servez-vous-en pour fermer hermétiquement le couvercle de la cocotte sur tout son pourtour. Faites cuire de 12 à 16 heures dans un four de boulanger ou dans votre four à 90 °C (th. 3).
Séparez les tripes du jus, passez celui-ci au chinois et dégraissez-le. Rectifiez l'assaisonnement et réunissez le jus et les tripes.
Servez avec quelques pommes de terre vapeur.

Sole normande

Faites lever les filets des soles et retirer la peau, mais demandez au poissonnier de vous donner les têtes et les arêtes.
Ouvrez les huîtres en récupérant leur jus. Réunissez le tout dans une petite casserole et portez à frémissement. Ébarbez les huîtres, réservez-les dans leur jus.
Grattez et lavez les moules. Placez-les dans une casserole avec le vin blanc, faites chauffer à couvert sur feu vif en agitant de temps en temps la casserole couverte jusqu'à ce que les moules soient ouvertes. Décoquillez-les, puis ébarbez-les. Réservez-les dans leur jus, avec les huîtres.
Faites sauter les bouquets à la poêle dans 20 g de beurre jusqu'à ce qu'ils soient raidis. Décortiquez-les. Réservez.
Châtrez les écrevisses : saisissez le lobe central de la nageoire caudale, tordez-le et tirez, le boyau y restera attaché. Pochez les écrevisses 3 minutes au court-bouillon, puis décortiquez-les. Réservez.
Nettoyez et lavez les champignons. Faites-les sauter 5 minutes dans 20 g de beurre avec un filet de citron. Salez.
Réunissez le jus des champignons, des moules et des huîtres.
Préchauffez le four à 210 °C (th. 7).
Dans une casserole, préparez un fumet de sole avec les arêtes, le vin blanc sec et les jus de cuisson réunis et laissez réduire de moitié. Mouillez d'eau à hauteur, portez à ébullition, couvrez et laissez frémir 20 minutes. Filtrez et réservez.
Beurrez une plaque allant au four. Disposez-y les filets de sole pliés en deux, ajoutez les échalotes, salez et poivrez. Mouillez avec le fumet de poisson et faites cuire 8 à 10 minutes au four doux.
Quand les filets sont cuits, réservez-les au chaud. Recueillez tout le fumet dans une casserole et faites-le réduire jusqu'à ce qu'il épaississe légèrement. Ajoutez 50 g de beurre coupé en petits morceaux afin de l'incorporer à la sauce. Gardez au chaud.
Au dernier moment, farinez les éperlans. Faites-les frire jusqu'à ce qu'ils soient dorés.
Dressez les filets de sole sur un plat creux chauffé. Entourez-les des éléments de la garniture et nappez de sauce. Décorez des éperlans frits et des lamelles de truffe.

Ingrédients

POUR 4 PERSONNES

2 soles de 800 g chacune
12 huîtres
12 moules de bouchot
12 bouquets vivants
100 g de beurre
12 écrevisses à pieds rouges
1 l de court-bouillon aux légumes (carotte, poireau, oignon, échalote, aromates)
12 champignons de Paris moyens
1 citron
50 cl de vin blanc sec
2 échalotes ciselées
12 éperlans
20 g de farine
12 lamelles de truffe
sel
poivre du moulin

Le collégien affamé

Comme il se doit pour un fils de la bonne société de la ville, Gustave Flaubert, au mois de février 1832, entre, en qualité d'interne, au collège royal de Rouen dans lequel il effectue, sans grand enthousiasme, ses humanités, non pas parce qu'il n'est pas doué, mais parce que, tour à tour indiscipliné, insolent et rêveur, il semble ne s'intéresser qu'à la littérature qu'il dévore, à défaut d'un ordinaire particulièrement fade, comme dans tous les établissements analogues sous la monarchie de Juillet. Il y vit « un temps d'inconcevable ennui et d'une tristesse bête mêlée à des spasmes de bouffonnerie » à travers les relents de soupe aux légumes à la graisse de bœuf et de veau bouilli composant l'ordinaire des déjeuners et des dîners rythmés par les roulements du tambour, bien éloignés du canard au sang, de la sole dieppoise, du boudin blanc d'Avranches ou du poulet vallée d'Auge dont les garnements rêvent sans doute, le soir, avant de s'endormir.

À défaut de félicité gastronomique, l'enfant découvre l'amitié avec des compagnons à qui il va demeurer fidèle, Louis Bouilhet, Ernest Chevalier, Émile Hamard – son futur beau-frère –, Alfred Le Poitevin, bientôt persuadés que le fils cadet du directeur de l'hôtel-Dieu, déjà auteur de contes et nouvelles, dans lesquels on retrouve les sujets qu'il va développer par la suite, sera un jour un grand écrivain. Et c'est en leur compagnie que débutent les interminables dialogues d'une vie d'échanges rythmés par ce à quoi Flaubert va demeurer fidèle jusqu'à sa mort, la pipe et l'alcool. Aussi, pour se refaire une santé, l'enfant, comme ses camarades, doit attendre les grandes vacances pour retrouver avec plaisir la table familiale, non pas seulement à Rouen mais encore à Déville-lès-Rouen où sa famille possède une maison de campagne, voire à Nogent-sur-Seine, chez le frère du docteur Flaubert, et surtout à Trouville – à l'époque un simple village de pêcheurs – où Gustave, grand nageur devant l'Éternel, se passionne pour la mer et ses produits.

L'enfant en effet raffole des huîtres qui, à son époque, ne sont pas élevées mais ramassées à même la grève ou recueillies dans les filets des pêcheurs, mais prise aussi les salicoques (crevettes), les moules et les cofiches (coquilles Saint-Jacques). Rien de plus naturel en conséquence que ses personnages soient, tous, de grands amateurs des poissons de la côte – barbues, cabillauds, carrelets, harengs, merlans, grondins, maquereaux – et avec eux des homards et des langoustes, que la gastronomie française commence enfin à intégrer, à défaut du paysan normand, si peu intéressé par le saumon qu'il le donne souvent à manger à ses cochons quand ses domestiques protestent qu'on leur en sert trop, ce qui oblige les notaires à préciser ce point dans les contrats d'embauche ! Nul doute que ces succulences traduisent, dans une autre réalité, le rêve affamé du collégien, réalisé sur la grève. Car c'est bien à la plage qu'il éprouve son premier désir amoureux – consubstantiel à son appétit naissant – envers une belle baigneuse, Elisa Foucault, future épouse de l'éditeur de musique Maurice Schlésinger – la « Madame Arnoux » de *L'éducation sentimentale* –, même s'il perd son pucelage avec la femme de chambre de sa mère, avant de s'intéresser à la ravissante Caroline Anne Heuland. Cette jeune Anglaise, amie de sa sœur, il la conduit au bord de la mer pour, d'une manière particulièrement révélatrice de ses fantasmes, déguster des coquillages, comme un éphémère plaisir dérobé à la nature. Ne confie-t-il pas à son ami Ernest Chevalier cet aphorisme si caractéristique : « Ô que Molière a eu raison de comparer la femme à un potage. Bien des gens désirent en manger. Ils s'y brûlent et d'autres viennent après. » Formule machiste, bien digne des fantasmes d'un collégien ? Certes, mais conforme à l'esprit du temps, comme en témoigne cette remarque des Goncourt que, sans nul doute, Flaubert approuve : « Le champagne met dans la femme – sur cette petite bête hystérique [sic] qu'il déchaîne, lâche et qui court soudain jusqu'au bout de ses doigts, qui frémissent et pincent, sur ce rien de gaz qui la jette soudain au pétillement des nerfs et au glapissement de la voix. » Ou cette autre, pire encore, des mêmes : « Une bouteille, voilà une distraction bien supérieure à la femme. La bouteille vide, c'est fini. Elle ne vous demande ni visite, ni souvenir, la bouteille. Elle ne vous demande ni reconnaissance, ni amour, ni même de politesse. Elle ne vous fait pas d'enfant, la bouteille. »

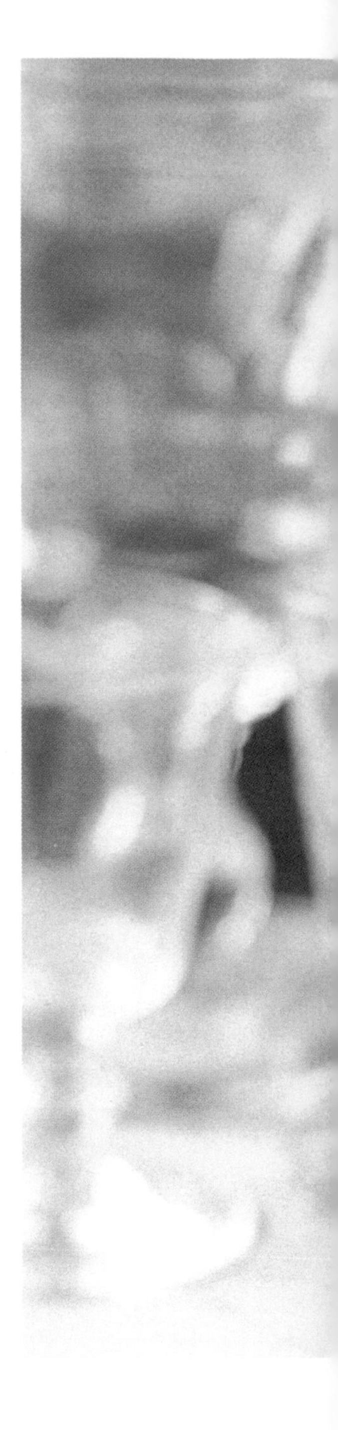

BARBUE POCHÉE SAUCE HOLLANDAISE

Ingrédients

POUR 4 PERSONNES

1 barbue de 2 kg
50 cl de lait
1 branche de thym
1 feuille de laurier
1/2 tête d'ail
gros sel

La hollandaise
300 g de beurre
3 jaunes d'œufs
1 citron
sel
poivre mignonnette

Videz, ébarbez la barbue. Au choix, laissez-la entière ou tronçonnez-la avant cuisson.
Mélangez l'eau et le lait, ajoutez le thym, le laurier, l'ail et un peu de gros sel. Faites pocher la barbue dans ce mélange sur feu doux jusqu'à frémissement. Gardez au chaud.
Clarifiez le beurre en le faisant fondre au bain-marie. Prélevez le beurre clarifié en prenant garde de laisser le petit-lait au fond du récipient. Laissez tiédir pendant que vous procédez à la suite de la recette.
Versez 1 cuillerée à soupe d'eau dans une casserole, ajoutez une pincée de sel, une pincée de poivre mignonnette et placez le fond de la casserole au-dessus d'un bain-marie pour le tiédir sans cesser de fouetter jusqu'à ce que les jaunes prennent la consistance d'un sabayon. À ce moment, incorporez progressivement le beurre fondu tiède sans cesser de fouetter, ajoutez le jus de citron, rectifiez l'assaisonnement et passez la sauce au chinois étamine.
Si vous désirez une hollandaise plus légère, je vous conseille d'y ajouter 1 cuillerée à soupe de crème fouettée.
Dressez la barbue sur une serviette et accompagnez-la de la hollandaise tiède.

Quenelles de veau bigarrées à la Bellevue

Faites dégorger les crêtes et les rognons de coq au frais dans de l'eau froide 24 heures à l'avance. Épointez les crêtes en coupant les extrémités. Faites-les blanchir 2 minutes à l'eau bouillante. Retirez la peau des crêtes, puis faites-les cuire dans un blanc constitué d'eau légèrement farinée et additionnée du jus de citron. Faites blanchir les rognons de coq 2 minutes dans de l'eau bouillante. Rafraîchissez-les sous l'eau froide courante, puis épluchez-les. Réservez les crêtes et les rognons.
Dénervez le filet de veau à l'aide d'un couteau d'office pointu. Hachez la viande dans le bol d'un robot en faisant tourner le moteur 3 minutes afin d'obtenir une farce très fine. Ajoutez les blancs d'œufs et faites tourner le moteur encore 1 minute. Débarrassez le mélange dans un cul-de-poule posé sur de la glace et incorporez peu à peu la crème liquide à l'aide d'une spatule. Salez, poivrez. Façonnez des quenelles à l'aide de deux cuillères à café et pochez-les 6 minutes environ dans de l'eau à peine frémissante.
Équeutez les épinards, lavez-les dans plusieurs eaux, puis essorez-les.
Posez un grand sautoir sur feu vif. Ajoutez le beurre et l'ail. Quand celui-ci prend un ton noisette, ajoutez les épinards, remuez sans cesse pendant 2 à 3 minutes, le temps de les flétrir. Débarrassez-les dans une passoire pour les égoutter.
Hachez finement 20 g de truffe noire. Faites chauffer le jus de veau, ajoutez la truffe hachée, réservez au chaud.
Réchauffez les quenelles, les crêtes et les rognons de coq ainsi que les épinards. Dressez le tout en belle harmonie, arrosez du jus de veau à la truffe et râpez sur toute la surface du plat les 40 g de restants.

Ingrédients

POUR **4** PERSONNES

La garniture

12 crêtes de coq
12 rognons de coq
1 cuillerée à soupe de farine
le jus de 1 citron
300 g d'épinards frais
100 g de beurre
1 gousse d'ail
60 g de truffe noire
20 cl de jus de veau

Les quenelles

1 filet mignon de veau de 400 g
2 blancs d'œufs
40 cl de crème liquide
sel
poivre du moulin

ÉPERLANS PANÉS À L'ANGLAISE

Ingrédients

POUR 4 PERSONNES

800 g d'éperlans
1 litre d'huile d'arachide pour friture
2 œufs entiers + 8 jaunes
2 cuillerées à café d'huile d'arachide
500 g de farine
500 g de chapelure de pain de mie
sel
poivre du moulin

Videz, lavez, égouttez et essuyez soigneusement les éperlans.
Faites chauffer l'huile pour la friture.
Préparez une anglaise : battez les œufs, les jaunes d'œufs, quelques gouttes d'eau et l'huile d'arachide.
Roulez les éperlans dans la farine, secouez-les bien pour éliminer l'excédent, passez-les dans l'anglaise, égouttez-les bien puis roulez-les un à un dans la chapelure. Faites-les frire jusqu'à ce qu'ils soient bien dorés, salez et poivrez à la sortie de la friture.
Vous pouvez accompagner les éperlans frits d'un trait de citron ou d'une sauce tartare (mayonnaise à base de jaune d'œuf dur additionnée d'oignon ciselé, de ciboulette et de câpres).

Les émois gustatifs de l'étudiant parisien

Ayant décidé que son fils aîné, Achille, serait médecin et lui succéderait à la tête de l'hôtel-Dieu – ce qui, effectivement sera le cas – le docteur Flaubert exige que son cadet Gustave fasse son droit pour devenir avocat ou magistrat et, à cet effet, sitôt ses longues vacances terminées, l'installe à Paris où, dès l'automne 1841, il découvre le monde étudiant de la rive gauche avec aussi peu d'enthousiasme qu'il avait découvert celui du collège, quelques années plus tôt. Sa mère lui envoie-t-elle, comme celle de Charles Bovary, « chaque semaine, par le messager, un morceau de veau cuit au four, avec quoi il déjeunait le matin quand il rentrait des cours » ? On l'ignore, mais ce n'est pas impossible.

La vie parisienne est-elle si heureuse que le croit Homais qui, dans *Madame Bovary* encore, s'écrie à l'adresse de Léon s'installant dans la capitale : « Allons donc ! dit le

pharmacien en claquant de la langue, les parties fines chez le traiteur ! les bals masqués ! le champagne ! Tout cela va rouler, je vous l'assure. Encore qu'il évoque les maladies des étudiants, « à cause du changement de régime et de la perturbation qui en résulte dans l'économie générale. Et puis l'eau de Paris, voyez-vous ! Les mets des restaurateurs, toutes ces nourritures épicées finissent par vous échauffer le sang et ne valent pas, quoi qu'on en dise, un bon pot-au-feu. »
Homais n'a pas tort et la jeunesse de Flaubert qui, le soir, dîne pour trente sous avec « du bœuf coriace, du vin aigre et de l'eau chauffée dans les carafes par le soleil », est plus proche de ce second pronostic que du premier, comme il la met à son tour en scène, après Balzac, dans *L'Éducation sentimentale*, où son double, Frédéric Moreau, ne prise guère la médiocrité des gargotes de la rive gauche de la capitale : « Il allait dîner, moyennant quarante-trois sols le cachet, dans un restaurant, rue de la Harpe. Il regardait avec dédain le vieux comptoir d'acajou, les serviettes tachées, l'argenterie crasseuse et les chapeaux contre la muraille. Ceux qui l'entouraient étaient des étudiants comme lui. Ils causaient de leurs professeurs, de leurs maîtresses. Il s'inquiétait bien des professeurs ! Est-ce qu'il avait une maîtresse ? Pour éviter leurs joies, il arrivait le plus tard possible. Des restes de nourriture couvraient toutes les tables. Les deux garçons fatigués dormaient dans des coins et une odeur de cuisine, de quinquet et de tabac emplissait la salle déserte. »
C'est là, entre de médiocres soupers et de plus enthousiasmantes soirées au bordel – la quintessence de sa vie physique bien qu'une certaine homosexualité latente ne soit

pas absente de son métabolisme psychique –, que Gustave s'initie à ce que Regimbard, dans *L'Éducation sentimentale*, appelle « des plats de ménage, des choses naturelles » qu'il déguste dans un petit café de la place Gaillon, de même qu'Arnoux, « pris de fringale, avait besoin de manger une omelette ou des pommes cuites », envoyant son domestique quérir des denrées dans quelque troquet de sa connaissance, tout en regrettant, attablé au fond d'un restaurant, « tout seul et la mine renfrognée, comme il l'écrit à sa sœur, la bonne table de famille où l'on mange de bon cœur et où l'on rit tout haut », si profondément authentique quand on la compare à l'inhumanité de la grande ville ! Est-ce pour compenser qu'il trouve un arrangement dont il rend compte, dans une lettre à cette même Caroline ? « J'ai fait marché avec un gargotier du quartier pour qu'il me nourrisse. J'ai devant moi payé trente dîners si on peut appeler cela des dîners... Je surpasse tous les amateurs du lieu en rapidité pour manger. J'y affecte un genre préoccupé, sombre et dégagé tout à la fois, qui me fait beaucoup rire quand je suis seul dans la rue .»

Cela ne l'empêche pas cependant de crier régulièrement au secours, comme il le fait encore dans une autre lettre à Caroline : « Orlowski, qui chasse maintenant si diligemment vous donne-t-il du gibier afin qu'on puisse manger pâtés de lièvre, civets, gîtes, salmis, cailles grasses, perdrix, lapins, sangliers ? Que Dieu le protège si, grâce à lui, tous ces articles abondent à l'office et pendent au croc. Par la prochaine occasion envoyez-m'en une bourriche pleine, je paierai le port. » Mieux valent donc les vacances en Normandie où l'étudiant Flaubert retrouve sa place au foyer paternel et

séjourne à Trouville où il retrouve enfin cette vraie vie, dont témoigne cette lettre à Ernest Chevalier : « Je me lève à huit heures, je déjeune, je fume, je me baigne, je redéjeune, je fume, je m'étends au soleil, je dîne, je refume et je me recouche pour redîner, refumer, redéjeuner .»
Là, dans la quiétude affective et physique retrouvées, il soupe à Rouen chez le Père Tardif avec son complice Hamard, tout en succombant au charme des sœurs Collier, Gertrude et Henriette, deux Anglaises en villégiature sur la côte et qu'il ne tarde pas à séduire. Les bons repas – pour ne pas dire les « orgies » au sens étymologique du mot qui ne vise que la nourriture et non le sexe à l'époque – se succèdent donc, ainsi qu'il le confie à Ernest Chevalier : « Je suis dans une atmosphère de dîners. Mercredi dernier Achille nous a payé son dîner d'adieu chez Jay. Le grand homme d'Orlowski l'avait commandé d'une façon pas trop canaille : le frappé c'était l'ordinaire, à cinq nous avons bu cinq bouteilles de champagne frappé, une de Madère, une de Chambertin. Hier, chez la Mère Lormier, je me suis foutu une culotte ; demain j'y déjeune, j'y dîne, je recommence à m'empiffrer. Dimanche, c'est à la maison *iterum* et le dimanche suivant, *iterum. Ter quaterque beatus qui sic dinare possit* », avant d'ajouter une autre fois : « Nous nous gaudyserons, pantagruéliserons à mort, buvant d'autant, tambourinant et remuerons nos ventres à beaux vis démesurés. » Comment s'étonner que le jeune homme prenne du poids, lui qui confie encore à son correspondant préféré l'étendue de ses excès : « J'ai été au bordel pour m'y divertir et je m'y suis embêté. Le tabac ? J'en ai la gorge brûlée. Les petits verres ? J'en suis hérissé ; il n'y a plus que les repas dans

lesquels je me bourre à rester sur place. Aussi ai-je considérablement engraissé, mais j'ai furieusement maigri d'esprit. » C'est dit, le bel adolescent, qui faisait l'admiration des femmes, est devenu malgré lui un gros et rouge sybarite, « une fourchette » de premier ordre par surcompensation à sa sensibilité intérieure, parce que, peut-être, c'est la seule façon de devenir « un mâle » aux yeux de ses compagnons ! Au retour de ces vacances, Gustave, comme c'était prévisible, est recalé aux examens de deuxième année. Cet échec confirme ce qu'il a toujours su. Il ne sera jamais un juriste mais un auteur, contrairement à son ami Ernest Chevalier qu'il félicite d'avoir passé sa thèse avec succès en évoquant les fantasmes estudiantins habituels : « Bravo, jeune homme, bravo, très bien, très bien, fort satisfait, extrêmement content, enchanté, recevez mes félicitations, agréez mes compliments, daignez recevoir mes louanges, mes hommages ! Il y a de quoi danser des cancans effrénés, des polkas sauvages, des cachuchas titaniques, il faut se couronner de fleurs et de saucisses, empoigner sa pipe et boire 200 000 987 105 310 000 petits verres ! » Un exemple que Flaubert n'entend nullement suivre.

C'est qu'au mois de janvier 1844, alors qu'il se trouve sur la route de Pont-l'Évêque en compagnie de son frère, Gustave est terrassé par une violente crise nerveuse, sorte d'épilepsie assortie d'un coma léger, à l'issue de laquelle les siens se persuadent que sa fin est imminente. Il en réchappe pourtant, mais de ce jour, son père accepte peu à peu qu'il renonce au droit et mène sa vie à sa guise. Un petit accident aux conséquences considérables pour la littérature ! Rentier de fait et homme de lettres en herbe, l'adolescent est à présent libre de voyager. Un premier périple l'a déjà arraché à la douceur de la vie normande pour visiter, en compagnie du docteur Cloquet, d'abord l'Aquitaine et les Pyrénées, puis la Corse, l'été et l'automne 1840. Le jeune Gustave y a puisé de nouvelles sensations et ce fut le début d'une grande carrière d'observateur et de voyageur que va interrompre, dans quelques années, la solitude du gueuloir. En témoigne, parmi d'autres, cette enthousiaste et sensuelle description du Languedoc par le jeune Normand : « C'est à Toulouse qu'on aperçoit vraiment que l'on a quitté la montagne et qu'on entre en plein midi. On se gorge de fruits rouges, de figues à la chair grasse. Le Languedoc est un pays de Soulas, de vie douce et facile ; à Carcassonne, à Narbonne, sur toute la ligne de Toulouse à Marseille, ce sont de grandes prairies couvertes de raisins qui jonchent la terre. Çà et là des masses grises d'oliviers, comme des pompons de soie. Les gens sont doux et polis. Pays ouvert qui reçoit grassement l'étranger ! » Au mois de juin 1845 encore, tant pour fêter son succès au baccalauréat que pour accompagner en voyage de noce sa sœur Caroline, qui vient d'épouser Étienne Hamard, l'adolescent obtient de ses parents l'autorisation de prendre une année de grandes vacances pour découvrir l'Italie, voyage qui le conduit en Provence, à Gênes, à Milan, puis en Suisse et en Franche-Comté.

Cocotte de légumes printaniers aux herbes fraîches

Les premiers critères pour la réussite de ce plat : des produits de première qualité, des légumes jeunes et frais. Sa beauté réside dans les couleurs des légumes. Il se déguste seul ou en accompagnement d'un poisson ou d'une viande.
Épluchez, lavez les carottes, les navets et les asperges. Équeutez et lavez les haricots verts. Écossez les petits pois, les haricots blancs et les fèves.
Tournez les artichauts en éliminant les feuilles du pourtour à l'aide d'un couteau d'office tranchant et en récupérant les fonds. Gardez-les dans de l'eau citronnée.
Taillez les carottes, les navets, les artichauts et les asperges vertes en leur donnant des formes variées et gracieuses.
Faites cuire séparément, à l'eau bouillante salée, les fèves, les petits pois, les haricots verts et les asperges en gardant le tout croquant. Rafraîchissez-les sous l'eau froide courante, puis égouttez-les. Décortiquez les fèves. Réservez le tout sur du papier absorbant.
Faites cuire tous les autres légumes — carottes, navets, artichauts et haricots blancs — séparément à l'huile d'olive, à couvert, avec le bouillon de poule et 1 gousse d'ail pour chacun. En fin de cuisson, les légumes doivent être glacés. Réunissez-les dans la même cocotte avec un peu d'huile d'olive, le jus de cuisson restant, du sel et du poivre, et les herbes effeuillées ; servez aussitôt.

Ingrédients

POUR 4 PERSONNES

2 carottes fines
3 petits navets
12 pointes d'asperges vertes
300 g de haricots verts
1 kg de petits pois
1 kg de haricots blancs frais
1 kg de fèves
2 artichauts
le jus de 1 citron
20 cl d'huile d'olive
1 l de bouillon de poule
4 gousses d'ail
4 branches d'estragon
4 branches de sarriette
4 branches de marjolaine
sel
poivre du moulin

Omelette aux fines herbes

POUR 4 PERSONNES

12 œufs fermiers
1/2 bouquet de persil plat
1/2 bouquet de ciboulette
1/2 bouquet de cerfeuil
12 grandes feuilles d'estragon
10 cl de crème liquide
100 g de beurre
sel
poivre du moulin

Effeuillez, lavez les herbes. Gardez-en un tiers sous forme de pluches pour le service et hachez le reste.
Cassez les œufs dans un saladier ; battez-les au fouet avec la crème liquide, le sel, le poivre et les herbes.
Posez une poêle sur feu vif, faites-y fondre le beurre et, quand il commence à mousser, versez-y les œufs. À l'aide d'une fourchette, rabattez continuellement les bords de la masse d'œufs vers le centre en veillant à ce que l'omelette reste souple tout au long de la cuisson. Elle doit être servie baveuse.
Beurrez un plat, puis déposez-y l'omelette repliée et parsemez des pluches de fines herbes.

Paleron de bœuf et chou vert braisé à la moelle

Faites mariner le paleron de bœuf 24 heures au frais dans le vin rouge avec la garniture aromatique : carotte, oignon, clous de girofle, poireau et bouquet garni.
Préchauffez le four à 180 °C (th. 6).
Égouttez le paleron et faites-le dorer dans une cocotte sur toutes les faces avec l'huile d'arachide et la garniture aromatique égouttée. Faites flamber le vin rouge, puis servez-vous-en pour déglacer la cuisson. Ajoutez la moelle. Couvrez la cocotte et faites cuire le tout 2 à 3 heures au four, selon la viande.
Retirez les feuilles extérieures et le trognon du chou, coupez-le en quartiers et faites-le blanchir 10 minutes à l'eau bouillante. Rafraîchissez-le sous l'eau froide courante et égouttez-le. Essorez-le bien pour éliminer toute l'eau.
Épluchez la carotte et l'oignon, coupez-les en gros dés. Garnissez le fond d'une cocotte de la couenne de lard, ajoutez la carotte, l'oignon et le chou. Salez et poivrez, ajoutez le bouquet garni, tassez bien et mouillez avec le bouillon de poule au tiers de la hauteur. Recouvrez d'une barde de lard, couvrez la cocotte, portez à ébullition sur le feu et faites cuire 1 h 30 au four.
Rectifiez l'assaisonnement du fond de braisage du paleron et sa consistance en le faisant réduire au point voulu, et servez le paleron de bœuf à la cuillère avec son jus, ainsi que le chou braisé.

Ingrédients

POUR 4 PERSONNES

1 paleron de bœuf de 1 kg
3 l de vin rouge
1 carotte
1 oignon
3 clous de girofle
1 poireau
1 bouquet garni
200 g de moelle décortiquée
10 cl d'huile d'arachide

Le chou braisé

1 gros chou vert
1 carotte
1 oignon
1 couenne de lard (à la dimension du fond de la cocotte)
1 barde de lard
1 bouquet garni
1 l de bouillon de poule
sel
poivre du moulin

Soupers intimes avec Louise Colet

Enfin, une femme entre dans sa vie. Elle se nomme Louise Colet et a dix ans de plus que lui. Belle et intelligente, elle est l'épouse d'un flûtiste qu'elle a déjà abondamment trompé, le modèle préféré du sculpteur Pradier et une poétesse inspirée cultivant une certaine notoriété dans les salons parisiens de la monarchie de Juillet, où elle est, entre autres, l'amie de Vigny, de Musset, de Leconte de Lisle et de Marceline Desbordes-Valmore. Cette liaison passionnée et orageuse, qui dure presque une décennie, avec celle qu'il appelle un jour « mon cher volcan », connaît des hauts et des bas – en particulier par le caractère exclusif de Louise et l'égoïsme machiste de Gustave –, des étreintes fougueuses et des brouilles durables, que rythme un intense échange de lettres, entre scènes de rupture et retrouvailles sur l'oreiller, si intenses qu'un jour Flaubert lui écrit : « Ne m'aime pas tant, ne m'aime pas tant, tu me fais mal ! »

Contrairement à ce qu'on croit généralement, la cuisine n'est pas absente de cette relation, comme le prouve, entre autres, cet extrait de leur correspondance : « J'ai beaucoup ri à la description de l'auberge, écrit Gustave. En nous voyant entrer, l'hôte a compris d'ailleurs que nous ferions largesse, et, sur notre visage il a lu notre amour comme un heureux présage. » J'aime beaucoup « le perdreau succulent de Rosni » et « l'écrevisse au goût fin que dans la Seine on pêche », ajoute-t-il. Ceci est une faute de géographie culinaire. Je ne pense pas qu'on pêche d'écrevisses dans la Seine à Mantes. N'importe, mais ce qu'il y a de meilleur, c'est ceci : « Nous mangeâmes tous deux » etc., jusqu'à « quel repas, quel attrait ! »
Flaubert, expert en restaurants parisiens, a vraisemblablement conduit Louise dans ceux qu'il apprécie le plus et ces diverses expériences, il n'est pas difficile de les retrouver dans *L'Éducation sentimentale*, lorsque Frédéric sort Rosanette à la Pâtisserie anglaise : « Des jeunes femmes, avec leurs enfants, mangeaient debout devant le buffet de marbre où se pressaient sous des cloches de verre, les assiettes de petits gâteaux. Rosanette avala deux tartes à la crème. Le sucre en poudre faisait des moustaches au coin de sa bouche. De temps à autre, pour l'essuyer, elle tirait son mouchoir de son manchon ; et sa figure ressemblait, sous sa capote de soie verte, à une rose épanouie entre les feuilles. »
N'est-ce pas encore à Louise qu'il pense, en évoquant ce souper intime au Café Anglais – où déjà Balzac avait imaginé un repas entre Bachelard et Duveyrier, et Zola, celui offert à Nana par le comte Muffat – entre les deux amants, dans un de ces cabinets particuliers propices aux plus tendres tête-à-tête, hélas interrompu par l'arrivée d'un troisième convive :

« Si nous mangions, je suppose, un turban de lapins à la Richelieu et un pudding à la d'Orléans ?
– Oh ! pas d'Orléans ! s'écria Cisy, lequel était légitimiste et crut faire un mot.
– Aimez-vous mieux un turbot à la Chambord ? reprit-elle.
Cette politesse choqua Frédéric. La maréchale se décida pour un simple tournedos, des écrevisses, des truffes, une salade d'ananas, des sorbets à la vanille.
– Nous verrons ensuite. Allez toujours. Ah ! J'oubliais ! Apportez-moi un saucisson ! Pas à l'ail !
Et elle appelait le garçon "jeune homme", frappait son verre avec son couteau, jetait au plafond la mie de son pain. Elle voulut boire tout de suite du vin de Bourgogne. »
Une autre scène, plus bucolique, située dans la forêt de Fontainebleau, nous fait songer qu'elle est peut-être plus autobiographique encore que la précédente : « Ce soir-là, ils dînèrent dans une auberge, au bord de la Seine. La table était près de la fenêtre, Rosanette en face de lui, et il contemplait son petit nez fin et blanc, ses lèvres retroussées, ses yeux clairs, ses bandeaux châtains qui bouffaient sa jolie figure ovale. Sa robe de foulard écru collait à ses épaules un peu tombantes ; et, sortant de leurs manchettes tout unies, ses deux mains découpaient, versaient à boire, s'avançaient vers la nappe. On leur servit un poulet avec les quatre membres étendus, une matelote d'anguilles dans un compotier en terre de pipe, du vin râpeux, du pain trop dur, des couteaux ébréchés. Tout cela augmentait le plaisir, l'illusion. Ils se croyaient presque au milieu d'un voyage en Italie, dans leur lune de miel. »

Flaubert sait-il que dans cette même auberge, George Sand et Musset avaient abrité leurs amours ? Reste qu'avec le temps, lorsque les agressions finissent par composer l'essentiel de leurs échanges, Louise reproche à Gustave – entre mille autres choses ! – d'être du clan « des viveurs, des jureurs et des fumeurs ». La réplique fuse aussitôt : « Fumeurs, passe. Je fume, refume et surfume de plus en plus de bouche et de cerveau. Jureurs, il y a encore du vrai. Mais je jure tellement en dedans qu'on doit me passer le peu qu'on entend. Il est joli, votre viveur ! Il consomme plus de quinine que de rhum et ses orgies sont si bruyantes qu'on ne sait pas s'il existe encore dans sa propre ville, dans celle où il est né et où il habite. » L'écrivain est-il devenu enfin raisonnable ou fuit-il Louise pour de plus amusantes agapes dans lesquelles la gastronomie et le sexe se mélangent, comme Zola le raconte dans le célèbre souper offert par Nana, chez elle, mais livré, comme il se doit, par Brébant, « qui devait tout fournir, la vaisselle, les cristaux, le linge, les fleurs, jusqu'à des sièges et à des tabourets », puisque « dédaignant d'aller au restaurant, elle avait préféré faire venir le restaurant chez elle », parce que « ça lui semblait plus chic » ? Il est incontestable que gastronomie et sexe sont inséparables, ce que ne cache pas Zola, notant : « À cette heure avancée de la nuit, il n'y avait là que des faims nerveuses, des caprices d'estomac détraqués... Ces soupers-là, pour être drôles, ne devaient pas être propres. Autrement, si on le faisait à la vertu, au bon genre, autant manger dans le monde. »

Matelote d'anguille, sauce au vin rouge et au lard fumé

Ingrédients

POUR 4 PERSONNES

La matelote

2 anguilles de 800 g chacune
100 g de farine
50 g de beurre
1 oignon
1 carotte
1/2 poireau
4 gousses d'ail
3 branches de persil plat
10 cl d'huile d'olive
1 l de vin rouge
sel
poivre du moulin

La garniture

12 petits oignons
100 g de poitrine fumée
100 g de petits champignons de Paris
2 tranches de pain de mie
150 g de beurre
pluches de cerfeuil
1 grosse pincée de sucre
le jus de 1/2 citron
sel
poivre du moulin

Préchauffez le four à 150 °C (th. 5).
Faites préparer les anguilles par le poissonnier : elles doivent être saignées, ébarbées et vidées. Faites-les tronçonner en morceaux de 5 à 7 cm de longueur. Farinez-les soigneusement et faites-les dorer au beurre sur toutes leurs faces.
Taillez l'oignon, le poireau et la carotte en mirepoix (c'est-à-dire en petits dés), hachez finement l'ail et le persil. Faites revenir le tout quelques minutes à l'huile d'olive sur feu doux dans une sauteuse. Déposez les tronçons d'anguille sur cette mirepoix.
Faites flamber le vin rouge : portez-le à frémissement dans une grande casserole, allumez-le et attendez l'extinction des flammes. Mouillez les anguilles de ce vin, salez et poivrez ; couvrez la sauteuse et faites cuire 15 minutes à four doux.
Préparez les garnitures. Épluchez les petits oignons, réunissez-les dans une petite casserole avec 20 g de beurre et de l'eau juste à hauteur. Salez, poivrez, ajoutez le sucre et faites cuire jusqu'à évaporation de l'eau, puis faites-les glacer sur feu doux en remuant la casserole de temps à autre jusqu'à ce qu'ils aient pris une belle couleur dorée. Réservez.
Taillez la poitrine fumée en lardons, faites-les blanchir 1 minute à l'eau bouillante. Égouttez-les, puis faites-les dorer à la poêle dans 20 g de beurre.
Épluchez, lavez les champignons boutons et faites-les cuire 5 minutes dans 20 g de beurre avec le jus de citron. Salez, poivrez, réservez.
Taillez le pain de mie en petits dés et faites-les dorer dans 40 g de beurre mousseux. Salez, puis réservez sur du papier absorbant.
Rectifiez l'assaisonnement de la sauce au vin rouge, faites-la réduire à la consistance désirée. Montez la sauce avec le reste de beurre et rectifiez encore une fois l'assaisonnement.
Dressez, en belle harmonie, la matelote d'anguilles avec sa garniture. Décorez avec les pluches de cerfeuil.

Truffes en salade

Ingrédients

POUR 4 PERSONNES

120 g de truffes noires
300 g de mâche
1 échalote
6 cerneaux de noix fraîches

La vinaigrette

10 cl d'huile de noix
10 cl d'huile d'arachide
7 cl de vieux vinaigre de jerez
1 cl de jus de truffe
sel
poivre du moulin

Épluchez les truffes noires au couteau (vous garderez les pelures pour une autre recette), taillez-les en rondelles un peu épaisses afin qu'on puisse les croquer.

Épluchez, lavez, essorez la mâche. Ciselez finement l'échalote.

Pelez les cerneaux de noix fraîches et concassez-les.

Préparez la vinaigrette : salez et poivrez le vinaigre, mélangez, ajoutez au fouet les deux huiles et le jus de truffe ; rectifiez l'assaisonnement.

Mélangez délicatement la salade à la main, avec le vinaigre, l'échalote et les brisures de noix.

Disposez sur le plat de service un dôme de salade et couvrez-le des rondelles de truffes.

Pudding à la d'Orléans

Quelques heures à l'avance, faites tremper les raisins secs dans le rhum.

Préchauffez le four à 210 °C (th. 7). Beurrez un moule à pudding ou à charlotte.

Battez les œufs en omelette avec le sucre. Faites tiédir le lait.

Fendez les gousses de vanille dans le sens de la longueur.

Émiettez grossièrement le pain brioché rassis et les macarons.

Versez dessus le mélange œufs-sucre, le lait tiède, les raisins gonflés au rhum, les fruits confits, les pistaches, le marasquin, les gousses de vanille et la muscade.

Mélangez soigneusement le tout.

Épluchez les pommes reinettes, épépinez-les, taillez-les en quartiers et faites-les dorer au beurre sur toutes leurs faces.

Versez la moitié de l'appareil dans le moule, disposez les pommes sautées sur la surface et recouvrez du reste d'appareil.

Posez le moule dans un bain-marie (un plat à bord haut rempli d'eau frémissante), faites cuire au four 1 heure environ. Laissez tiédir avant de démouler.

Accompagnez ce pudding d'une marmelade d'abricot.

Ingrédients

POUR **10** PERSONNES

50 g de raisins secs
10 cl de rhum brun
4 œufs
100 g de sucre
40 cl de lait
2 gousses de vanille
10 tranches de pain brioché rassis
10 gros macarons nature rassis
100 g de fruits confits hachés
50 g de pistaches décortiquées
10 cl de marasquin (ou de marsala)
1 pincée de noix de muscade râpée
2 pommes reinettes
30 g de beurre + 10 g pour le moule
marmelade d'abricot

Par les champs et par les grèves

Pour se reposer des étreintes, souvent frustrantes, de Louise Colet et de la cohabitation parfois étouffante avec les siens, Gustave Flaubert, de mai à juillet 1847, en compagnie de Maxime Du Camp, grand ami de sa jeunesse qu'il a découvert sur les bancs de la faculté de droit, voyage longuement en Touraine puis en Bretagne et tire de cette expérience un récit, *Par les champs et par les grèves*, dont les chapitres pairs sont écrits par le premier et les chapitres impairs par le second. Il n'est guère difficile d'imaginer les deux randonneurs, munis de forts souliers, de chapeaux de feutre gris et d'un accoutrement qu'on va retrouver, plus tard, dans *Bouvard et Pécuchet*, se passionnant pour ces paysages qui enchantent tant l'âme des romantiques, surtout lorsqu'ils sont animés de scènes pittoresques, de vieux châteaux en ruines, de cathédrales oubliées ou de chapelles

abandonnées, au contact de populations si différentes que le peuple de Paris.
Mais la consolation des fatigues réside véritablement, le soir venu, dans ces hospitalières auberges de la vieille France, dont Flaubert adore l'ambiance si authentique et prise si fort la rustique gastronomie, qu'il apprend à son compagnon, comme il l'explique dans ses lettres : « Nous nous sommes trimballés en guimbarde, nous avons mangé dans des cabarets de campagne et couché dans des auberges classiques ; j'ai initié mon compagnon à l'eau-de-vie de cidre et il en a remporté une bouteille chez lui. » Nombre de scènes reviennent ainsi sous sa plume, comme celle-ci : « Il y a des heures où l'on est en plus belle humeur que d'autres. L'excellent dîner que nous fîmes à Amboise nous remit un peu de calme dans les veines et, le soir, trottant lestement sur la route de Chenonceaux, nous fumions nos pipes et humions l'odeur de la forêt dans un état très satisfaisant. »
Les surprises alimentaires ne sont cependant pas toutes aussi raffinées puisque les voyageurs sont parfois contraints de demander l'hospitalité aux communautés monastiques, ici à l'abbaye de la Melleray : « À peine sommes-nous entrés dans nos chambres, écrit Du Camp, que la cloche donne le signal du dîner des étrangers et des pensionnaires. Nous nous rendons à la salle Saint-Benoît, qui sert de réfectoire ; nous nous asseyons à une table déjà occupée par quinze ou vingt personnes. Le silence est exigé pendant les repas. Un plat d'oseille, une jatte bouillie, du beurre salé, quelques noix sèches, un gros morceau de pain bis chargent une nappe rude et grise. » Et Flaubert d'ajouter, à l'étape suivante : « Sortant des frères de la Trappe, il nous a semblé agréable

de revoir des figures humaines et des biftecks au beurre d'anchois. »
À Nantes, tous deux se régalent de fruits de mer ; à Quiberon, un descendant du Duc de Penthièvre leur offre, chez lui, des homards et, dans une ferme, où ils se réconfortent avec une soupe à l'oignon, leurs hôtes, modestes paysans de l'Ouest impressionnés par ces deux jeunes messieurs de la ville, leur demandent s'ils ont déjà soupé avec... Louis-Philippe ! Si quelquefois la chère est dure, obligeant Maxime Du Camp « à combattre à dîner un poulet récalcitrant » ou à devoir se contenter, le soir d'un vendredi saint chez une hôtesse dévote, « d'une omelette sans lard » (Flaubert), les bonnes surprises sont fréquentes, comme à Dives où « nous étions dans l'auberge de l'Agneau d'Or, tenue par les David, mangeant un morceau de fromage et buvant une bouteille de volnay » (Flaubert), ou à Sainte-Croix où « après une route de quatre lieues, nous déjeunâmes avec des filets de bœuf, des côtelettes de mouton, de la salade et du vin de Champagne » (Flaubert). Ces bons moments ne constituent-ils pas l'essentialité des plaisirs de la vie ? Beaucoup plus tard, en 1877, en tournée avec son ami le docteur Laporte, Flaubert constate encore, trois ans avant sa mort, à l'occasion d'un autre périple dans l'Ouest : « La seule débauche de la table est celle du poisson et des huîtres. »
Plaisir peu onéreux, convient-il de préciser, ainsi qu'en témoigne à cette même époque Francisque Sarcey, professeur dans l'Ouest, qui écrit : « La table d'hôte était de trente francs [par mois bien sûr] et, tous les jours, des huîtres, du homard et, par demi-douzaines, ces délicieuses côtelettes de pré-salé qui sont la joie des gourmets et l'orgueil des éleveurs

bretons, et toujours, aux deux bouts de la table, d'énormes montagnes de beurre que l'on coupait en longues tranches et que l'on mangeait étendu sur du pain avec tous les mets depuis le commencement du repas jusqu'à la fin du repas. Déjeuners et dîners se terminaient par d'énormes salades de fraises parfumées qui venaient de Roscoff .» Les auberges de province participent donc étroitement au monde flaubertien et, par là même, à la traduction de la réalité dans l'expression littéraire, ce que reprendra plus tard à son compte un autre ami de l'écrivain, Alphonse Daudet, dans un conte où il met en scène un de ces établissements – en Provence cette fois – « plein de vie, d'animation, toutes les portes ouvertes, la diligence arrêtée devant, les chevaux fumants qu'on dételait, les voyageurs descendus buvant à la hâte sur la route dans l'ombre courte des murs, la cour encombrée de mulets, de charrettes, des rouliers couchés sous les hangars en attendant la fraîche. À l'intérieur, des cris, des jurons, des coups de poing sur les tables, le choc des verres, le fracas des billards, les bouchons de limonade qui sautaient... »

Ainsi un parallèle peut être établi entre *Par les champs et par les grèves* et *Madame Bovary*. Dans le premier, on lit ainsi : « Nous descendîmes à Crozon chez Madame Renoult, que nous trouvâmes épluchant des petits pois. À travers la porte entrebâillée de la cuisine, nous sentîmes un doux parfum de rôti qui nous réjouissait l'âme. » Cette évocation introduit, dans le second, la description aussi précise qu'appétissante de l'auberge du Lion d'Or, évidente synthèse de toutes celles qu'il a connues jusqu'alors : « Le soir que les époux Bovary devaient arriver à Yonville, Madame veuve Lefrançois, la maîtresse de cette auberge, était si affairée qu'elle suait à grosses gouttes en remuant ses casseroles. C'était le lendemain jour de marché dans le bourg. Il fallait d'avance tailler les viandes, vider les poulets, faire de la soupe et du café. Le billard retentissait d'éclats de rire ; trois meuniers, dans la petite salle, appelaient pour qu'on leur apportât de l'eau-de-vie ; le bois flambait, la braise craquait et, sur la longue table de la cuisine, parmi les quartiers de mouton cru, s'élevaient des piles d'assiettes qui tremblaient aux secousses du billot où l'on hachait des épinards. On entendait, dans la basse-cour, crier les volailles que la servante poursuivait pour leur couper le cou. »

Ce thème se retrouve encore dans *Bouvard et Pécuchet*, où l'on perçoit la réminiscence de tant de soirées passées avec Maxime Du Camp – plus tard avec Guy de Maupassant – entre la visite d'une église et celle d'un château, par ces émules du baron Taylor et de Mérimée, cherchant quelques compensations alimentaires après tant d'heures passées dans la communion romantique avec les vieilles pierres. « On leur avait préparé une soupe à l'oignon, un poulet, du lard et des œufs durs. La vieille femme qui faisait la cuisine venait de temps à autre s'informer de leurs goûts. Ils répondaient, Oh, très bon ! Très bon ! Et le gros pain difficile à couper, la crème, les noix, tout les délecta. Le carrelage avait des trous, les murs suintaient. Cependant ils promenaient autour d'eux un regard de satisfaction. » Éternels jalons du voyage, les auberges constituent bien le jardin secret de l'écrivain qui, un jour, allait confesser à Ernest Chevalier : « Te souviens-tu, vieux, du pâté d'Amiens que j'ai englouti à moi tout seul un vendredi saint et du petit vin de Collioure que je humais si lestement ? »

Pommes de terre au gros sel à la maître d'hôtel

Préchauffez le four à 180 °C (th. 6). Lavez et essuyez les pommes de terre.
Dans une plaque creuse, étalez le gros sel. Disposez-y les charlottes et faites cuire environ 45 minutes au four.
Mixez le persil plat et l'ail afin de les hacher finement, ajoutez le beurre demi-sel et actionnez le moteur jusqu'à l'obtention d'un beurre vert et lisse. Tassez-le et réservez-le au réfrigérateur pour le durcir.
Retirez les pommes de terre de leur lit de sel, coupez-les en deux et disposez sur la pulpe de chaque demi-pomme de terre un copeau de beurre maître d'hôtel.
Vous pouvez déguster ces charlottes seules ou en accompagnement de poisson ou de viande.

Ingrédients

POUR **4** PERSONNES

8 grosses pommes de terre charlotte
1 kg de gros sel de Guérande
100 g de beurre demi-sel
1 bouquet de persil plat
1 gousse d'ail

Hachis de poularde à la reine

Ingrédients

POUR 4 PERSONNES

4 croustades de pâte feuilletée pour bouchées à la reine (à commander chez votre boulanger)

La garniture à la reine

2 crêtes de coq
12 rognons de coq
200 g de ris de veau
2 blancs de poularde ou de poulet fermier
1 l de bouillon de poule bien corsé
100 g de petits champignons de Paris
50 g de beurre
le jus de 1 citron
20 g de truffe
20 cl de crème liquide
5 cl de vin jaune du Jura (cépage savagnin)
gros sel
sel fin
poivre du moulin

Le blanc

1 litre d'eau
2 grosses cuillerées à soupe de farine
le jus de 1 citron
sel

La veille, faites dégorger les crêtes et les rognons de coq ainsi que les ris de veau à l'eau froide salée.

Le lendemain, faites-les blanchir quelques instants à l'eau bouillante, rafraîchissez-les sous l'eau froide courante puis retirez leur peau.
Taillez les blancs de poularde en dés et faites-les pocher doucement, environ 3 minutes, dans le bouillon de poule frémissant. Égouttez-les et réservez-les. Conservez le bouillon.
Préparez un blanc en mélangeant tous ses ingrédients. Portez-le à ébullition et faites-y cuire les crêtes de coq entre 30 et 45 minutes (selon leur taille).
Parez et lavez les champignons et faites-les cuire 5 minutes avec 20 g de beurre et le jus de citron, sel et poivre. Réservez.
Taillez en petits dés les ris de veau épluchés. Terminez leur cuisson avec 30 g de beurre mousseux sans trop les colorer ; salez et poivrez.
Taillez la truffe en petits dés.
Préparez la sauce : ajoutez la crème au reste de bouillon de poule et faites réduire de moitié. Rectifiez l'assaisonnement et ajoutez tous les éléments de la garniture : les crêtes, les rognons, les dés de poulet et de ris de veau, puis les champignons ainsi que la truffe en dés et enfin le vin jaune.
Faites chauffer les croustades à four moyen, disposez-y la garniture et servez le tout bien chaud.

Tatin de boudin noir aux pommes

Il vous faut pour cette recette 4 petits poêlons ou ramequins antiadhésifs. Beurrez-les légèrement.
Préchauffez le four à 240 °C (th. 8).
Pelez les pommes, videz-les et taillez-les en quartiers. Dans une poêle, faites chauffer le beurre, saupoudrez du sucre et faites sauter les pommes dans ce mélange pour les caraméliser légèrement.
Taillez le boudin noir en tranches de 5 mm d'épaisseur.
Disposez en corolle les tranches de boudin dans les poêlons en les faisant se chevaucher légèrement. salez et poivrez. Couvrez des quartiers de pomme.
Passez 10 minutes au four chaud, démoulez sur les assiettes et servez avec un petit mesclun assaisonné.

Ingrédients

POUR **4** PERSONNES

600 g de boudin noir
6 pommes granny smith
100 g de beurre
25 g de sucre
200 g de mesclun
sel
poivre du moulin

Flaubert en Orient ou les agapes du mystère

La France, pourtant, ne suffit plus à éteindre cette fringale de vie et de découverte. Gustave Flaubert rêve d'horizons plus lointains, que Chateaubriand, Lamartine et Nerval ont mis à la mode. Ainsi, au mois de novembre 1849, quitte-t-il la France pour un très long périple de trois ans le conduisant, avec Maxime Du Camp et leur domestique, en Égypte, au Proche-Orient puis en Grèce, avant de retourner en France par l'Italie l'été 1851, le tout sous le couvert d'une vague mission pour le compte du gouvernement de la seconde République. Comme il se doit, la veille du départ, c'est autour d'un grand dîner aux Frères Provencaux, au Palais-Royal, que les deux complices font leurs adieux à leurs amis, Louis Bouilhet, Théophile Gautier et Louis de Cormenin.

Si, déjà, à Valence, Flaubert s'empiffre – c'est lui-même qui l'avoue – et qu'en Avignon, il se gorge de sorbets, c'est bien en Égypte qu'il s'initie principalement à cet Orient le fascinant depuis son enfance, y compris dans ses mets parfois étranges, dont il livre à sa mère, dans sa correspondance, quelques exemples, préférant narrer à ses amis l'autre expérience orientale, les femmes possédées dans les innombrables bordels d'outre - Méditerranée. Ainsi à Rosette, écrit-il : « À chaque nouvelle visite que nous faisions, chibouk, café, et nullement question de manger. Je crevais de faim et commençais à trouver que c'était trop de fumée. Bref, à une heure et demi, le pacha nous dit que nous allons dîner. Nous étions cinq autour d'une grande table comme le guéridon qui est dans mon cabinet, on buvait tous dans le même verre et l'on mangeait avec ses doigts. Il y eut bien de servis au moins trente plats. On mange cinq ou six bouchées de chacun et on vous en sert un autre. Tous arrivent l'un après l'autre. Un négrillon en jaquette bariolée chassait les mouches, d'autres nous versaient de l'eau, soit pour boire, soit pour se laver les mains. C'était dans une grande chambre en bois, ouverte de tous côtés et dominant la mer qui battait au pied. Quant à la cuisine turque, la pâtisserie (beignets, gâteaux, plats sucrés, etc.) est excellente. Le reste m'a paru exécrable, mais ne m'a pas fait mal au ventre, ce qui m'a étonné. »
En Égypte, il déguste encore de la cigogne ou de la gazelle, savoure le café turc, déjeune d'un peu de lait

et d'œufs durs dans le temple de Médinet-Abou et s'extasie de certains moments de pur dépaysement, comme celui-ci : « Au milieu de la journée nous nous sommes arrêtés dans un village et nous sommes entrés dans un jardin. Les arbres : orangers, citronniers, palmiers et gazi étaient si serrés les uns près des autres qu'il fallait se baisser pour passer dessous. Le gamin qui nous suivait à pied a été chercher le gardien du jardin qui nous a apporté une grande jatte de dattes, avec des petits pains chauds posés sur un panier plat, en paille, de couleur, tressée. » Ainsi le Normand, si habitué à la pluie et affolé de bonheur sous ce ciel bleu permanent et cette brise douce, se croit-il au paradis terrestre, tandis que Maxime Du Camp l'immortalise au Caire sur le cliché constituant toujours la seule photographie que nous possédons de Flaubert, dans cette ville, qui plus est, où il emprunte au directeur français de l'hôtel où ils sont descendus, le nom de... Bovary !
Le plus extraordinaire dîner du périple oriental est cependant celui qu'offre aux deux voyageurs, quelques mois plus tard, le 12 novembre 1850, le général Aupick, à Constantinople, où il est ambassadeur de France. C'est que non seulement Flaubert y apprend, ce soir-là, la mort de Balzac, mais encore que la générale Aupick n'est autre que la mère d'un jeune homme dont Paris commence à parler, Charles Baudelaire, à la grande surprise du couple qui, vaguement inquiet, leur demande s'ils pensent que ce dernier « a du talent » !

Si on ignore tout ce que Flaubert a dégusté pendant ces trois années, nul doute que les mets d'Orient ont satisfait son estomac puisque, comme il le reconnaît lui-même, il est devenu énorme. Mais il est tout aussi affamé au retour qu'au départ, confiant qu'en débarquant à Naples, il est invité à déjeuner par son banquier qui lui offre « du beurre frais et des côtelettes », ce qui le réconcilie, finalement, avec la civilisation, bien que, jusqu'à son dernier jour, il conserve au plus profond de son cœur les émotions colorées de son périple. On en retrouve, du reste, les souvenirs dans *Salammbô*, *Hérodias* et *La Tentation de saint Antoine*, et avec eux une propension dont témoigne Émile Zola, écrivant : « Flaubert se disait né pour vivre en Orient sous une tente. L'odeur du café lui causait des hallucinations de caravanes en marche. Il mangeait des mets les plus abominables avec religion, pourvu que ces mets eussent un nom d'une belle allure exotique ».

Tajine d'agneau aux trois légumes

Ingrédients

POUR 4 PERSONNES

1 belle épaule d'agneau désossée et coupée en gros morceaux
le jus de 3 citrons
2 poivrons
2 aubergines
2 bulbes de fenouil
10 cl d'huile d'olive
2 oignons
1 cuillerée à soupe de miel
1/2 cuillerée à café de cumin en poudre
1 bouquet de coriandre
sel

Préchauffez le four à 150 °C (th. 5).
Émincez les oignons, coupez les poivrons en lanières, les aubergines en dés. Parez les bulbes de fenouil, coupez-les en quartiers.
Poêlez à l'huile d'olive les poivrons, les aubergines et les fenouils de façon à les colorer légèrement. Réservez.
Dans un tajine ou une cocotte en fonte, faites rissoler les morceaux d'agneau dans l'huile d'olive en les faisant bien dorer sur toutes leurs faces.
Ajoutez les oignons et le miel, et faites bien compoter le tout sur feu doux en remuant fréquemment. Ajoutez d'abord les poivrons, ensuite les aubergines et enfin les quartiers de fenouil.
Mouillez avec le jus de citron et complétez avec un peu d'eau juste à hauteur.
Assaisonnez de sel et de cumin, couvrez et faites cuire au four environ 1 h 30. Servez dans le tajine (si vous l'utilisez) et parsemez de coriandre fraîche hachée.
Servez avec de la semoule de couscous.

STEAK DE THON À L'ORIENTALE

Piquez les tranches de thon avec les filets d'anchois. Salez-les légèrement et saupoudrez-les de piment d'Espelette sur les deux faces.
Mondez les tomates après les avoir plongées quelques instants dans de l'eau bouillante. Taillez en dés les poivrons, la courgette, l'aubergine, l'oignon et les tomates. Hachez l'ail.
Faites sauter à l'huile d'olive les dés de courgette, de poivron et d'aubergine. Ajoutez les tomates et faites suer quelques instants.
Faites suer l'oignon à l'huile d'olive avec l'ail haché puis ajoutez les autres légumes. Salez, poivrez et laissez compoter 45 minutes sur feu très doux. Réservez au chaud.
Poêlez les tranches de thon sur les deux faces sans les surcuire et dressez-les sur la compotée de légumes. Juste avant de servir, saupoudrez de fleurs de thym et de coriandre fraîche ciselée.

Ingrédients

POUR 4 PERSONNES

4 steaks de thon rouge
10 filets d'anchois
4 tomates bien mûres
2 poivrons rouges
1 courgette
1 aubergine
1 oignon
3 gousses d'ail
10 cl d'huile d'olive
fleurs de thym
quelques branches de coriandre fraîche
piment d'Espelette
sel
poivre du moulin

Millefeuille parfumé à la fleur d'oranger

Ingrédients

POUR 4 PERSONNES

500 g de pâte feuilletée chez votre pâtissier
sucre glace
50 cl de lait
100 g de sucre semoule
4 jaunes d'œufs
50 g de préparation en poudre pour crème pâtissière
2 gousses de vanille
2 cuillerées à soupe de crème chantilly
eau de fleur d'oranger

À l'aide d'un rouleau à pâtisserie, abaissez la pâte feuilletée en un rectangle de 1 cm d'épaisseur environ. Laissez-la reposer 30 minutes au réfrigérateur.
Préchauffez le four à 180 °C (th. 6).
Déposez le rectangle de feuilletage sur une plaque garnie de papier sulfurisé. Couvrez le feuilletage d'une autre feuille de papier sulfurisé, disposez un bouchon de liège à chaque coin de la plaque et posez une grille sur les bouchons pour bloquer le feuilletage et l'empêcher de trop lever à la cuisson. Faites cuire au four jusqu'à ce que le feuilletage prenne une couleur uniforme. Retirez-le de la plaque et laissez-le refroidir sur une grille. Portez la température du four à 210 °C (th. 7).
Détaillez le feuilletage, à l'aide d'un couteau-scie, en rectangles de 5 cm x 10 cm. Saupoudrez-les de sucre glace et faites-les caraméliser à four chaud. Quand ils ont pris couleur, réservez-les hors du four.
Fendez les gousses de vanille et grattez l'intérieur pour libérer les graines. Jetez le tout dans le lait, portez celui-ci à ébullition et laissez infuser.
Pendant ce temps, mélangez les jaunes d'œufs, le sucre et la poudre à crème pâtissière. Ajoutez le lait vanillé en fouettant et remettez la préparation sur le feu. Faites-la cuire de 4 à 5 minutes sans cesser de remuer jusqu'à ce qu'elle épaississe. Retirez les gousses de vanille. Tamponnez de beurre fondu la surface de la crème afin d'éviter la formation d'une pellicule. Laissez refroidir, puis incorporez la crème chantilly et l'eau de fleur d'oranger.
Montez les millefeuilles en alternant les couches de feuilletage et de crème pâtissière (3 plaques de feuilletage pour 2 couches de crème).

Dans le gueuloir de Croisset

Les années d'apprentissage sont à présent achevées et c'en est bientôt fini de la vie trépidante, dont les illusions se sont envolées avec la mort, la même année 1846, d'abord du docteur Flaubert (15 janvier) puis de sa fille Caroline (23 mars), père et sœur tendrement chéris de l'écrivain qui, désireux de se consacrer pleinement à la seule réalisation de son œuvre, s'installe définitivement à Croisset, avec sa mère et sa nièce, que celle-ci va élever jusqu'à sa majorité, avec la tendre complicité de l'écrivain.

Dans cette vaste maison du XVIIIe siècle, naguère propriété d'une communauté monastique, et dont le parc s'étend jusqu'à la berge de la Seine où, l'été, Flaubert aime plonger et faire quelques brasses, commence une vie de labeur dont vont sortir, au compte-gouttes, des

chefs-d'œuvre parfois réécrits des années entières. Gustave Flaubert, ayant de surcroît rompu avec Louise Colet en mars 1848 – mais leurs relations, épisodiques, vont durer jusqu'en 1854 – s'attelle alors à un rythme de travail soutenu, qui n'est pas sans faire songer à celui de Balzac : « Je me mets à table vers midi et demi, à cinq heures je pique un chien [sieste] qui dure quelquefois jusqu'à sept heures. Alors je dîne, puis je me refous à la pioche jusqu'à trois heures et demi ou quatre heures du matin et je tâche de fumer après avoir lu un chapitre du sacro-saint immense et extra beau Rabelais. Voilà. »
Certes, l'inventaire de Croisset ne mentionne pas moins de... mille bouteilles dans la cave des Flaubert – vins de Beaune, de Volnay, moulin-à-vent, du Rhin, de Madère, de Champagne, auxquelles l'écrivain fait honneur plus – qu'il ne doit, tandis que les témoignages des proches de la famille confirment que les repas servis y sont plus que copieux, comme ceux de tous les bourgeois de l'époque. Ce n'est donc pas l'hôte des lieux qui pourrait s'écrier, comme son personnage fétiche, saint Antoine, dans *La Tentation* : « C'est d'avoir trop jeûné ! Mes forces s'en vont. Si je mangeais... une fois seulement, un morceau de viande. Ah ! de la chair rouge... une grappe de raisin qu'on mord ! Du lait caillé qui tremble sur un plat ! » Tout au contraire, écrit-il à l'un de ses amis : « Je suis tranquillement à me chauffer les pieds à mon grand feu, dans une robe de soie, et en ce qu'on peut appeler (à la rigueur) un château tandis que tant de braves gens qui me valent plus sont à tirer le diable par la queue avec leurs pauvres mains d'anges ! J'ai enfin de quoi ne pas

m'inquiéter de mon dîner, chose immense ! » N'étant donc pas à plaindre, il peut confier parallèlement à un autre : « Tu as raison de m'envier les arbres, le bord de l'eau et le jardin ; c'est splendide ! J'avais hier les poumons fatigués à force de humer les lilas. Sur la rivière, les poissons sautaient avec des folâtreries incroyables, comme des bourgeois invités à prendre le thé à la préfecture. »

Vie de bourgeois – de grand bourgeois même, jusqu'à la ruine finale – essentiellement normande, se sustentant des produits de la province, à base de crème et de beurre, en y ajoutant cependant ce quelque chose de parisien indispensable lorsqu'il reçoit ici ses amis, comme les Goncourt ou George Sand. Que mange-t-on à la table du maître, à Croisset ? Du poisson, bien sûr, dont l'Église prône l'obligation le vendredi – encore que cette famille soit fort peu pratiquante – et dont l'écrivain raffole, ainsi que des fruits de mer, toujours en entrée, comme il se doit. Suivent le plus souvent le bœuf à toutes les modes, la volaille, le pigeon, le mouton de pré-salé, le foie gras (essentiellement alsacien à l'époque) qu'on fait venir de la capitale et avec lui ces produits de luxe que sont encore certains fruits, comme les oranges ou les bananes. À Croisset, comme à son habitude, la vie de Flaubert oscille donc entre le réel et l'irréel, entre la réalité et l'imagination. Aussi, comme pour la sexualité – ses relations avec Louise Colet ne sont plus qu'épistolaires et les femmes dont il a besoin, il les trouve au bordel –, l'imagination et, avec elle, son frère le fantasme se multiplient, poussant à la gastronomie parfois jusqu'au délire.

Ceci est bien révélateur dans *Saint Julien l'Hospitalier*, le second des *Trois Contes*, où le banquet de la naissance de l'héritier du seigneur est prétexte à une grandiose évocation gustative : « Alors il y eut de grandes réjouissances et un repas qui dura trois jours et quatre nuits, dans l'illumination des flambeaux, au son des harpes, sur des jonchées de feuillages. On y mangea les plus rares épices, avec des poules grosses comme des moutons ; par divertissement un nain sortit d'un pâté et, les écuelles ne suffisant plus, car la foule augmentait toujours, on fut obligé de boire dans les oliphants et dans les casques. » Ce même style se retrouve encore dans le troisième conte – *Hérodias* – avec l'évocation du banquet de Vitellius, où Aulus, « ayant balancé entre une terrine de Commagène et des merles roses se décida pour des courges au miel », tandis que « l'Asiatique le contemplait, cette faculté d'engloutissement dénotant un être prodigieux et d'une race supérieure. On servit des rognons de taureau, des loirs, des rossignols, des hachis dans des feuilles de pampre... Les vins de palme et de tamaris, ceux de Safet et de Byblos coulaient des amphores dans des cratères, des cratères dans les coupes, des coupes dans les gosiers ; on bavardait, les cœurs s'épanchaient... »
Nul doute que la gastronomie est consubstantielle à l'inspiration littéraire avec son cortège d'odeurs, de couleurs et de saveurs qui vont bientôt trouver leur point d'orgue dans *Salammbô*, objet de tous les fantasmes du « gueuloir » de Croisset.

Gigot d'agneau de pré-salé en croûte de sel

Hachez les herbes fraîches.
Dans le bol d'un batteur, réunissez la farine, le gros sel, le poivre mignonnette, les blancs d'œufs, l'eau à peine tiédie et enfin les herbes hachées. Battez jusqu'à l'obtention d'une pâte homogène. À l'aide d'un rouleau à pâtisserie, étalez-la à une épaisseur de 5 mm en un rectangle d'environ 30 cm x 40 cm. Préchauffez le four à 210° (th. 7).
Salez et poivrez le gigot sur toute sa surface. Faites chauffer l'huile d'olive dans une sauteuse et, sur feu vif, faites-y colorer le gigot sur toutes ses faces. Laissez refroidir, puis disposez le gigot à l'envers (côté aplati vers le haut) sur la pâte. Repliez celle-ci pour enfermer hermétiquement le gigot. Remettez le gigot à l'endroit, rognez l'excédent de pâte et, à l'aide d'un pinceau, badigeonnez toute la surface de la pâte de jaune d'œuf battu. Faites cuire au four le gigot en croûte de 15 à 20 minutes environ (selon sa grosseur) puis laissez-le reposer 10 minutes hors du four. Sondez l'intérieur de la viande avec une aiguille à brider : elle doit ressortir tiède.
Cassez la croûte de sel, puis tranchez le gigot. Vous pouvez l'accompagner de haricots blancs mijotés ou d'un gratin de légumes niçois (aubergines, tomates, courgettes…).

Ingrédients

POUR **4** PERSONNES

1 petit gigot d'agneau de pré-salé
600 g de farine
300 g de gros sel
5 g de poivre mignonnette
2 blancs d'œufs
20 cl d'eau
25 g de feuilles de romarin frais
25 g de feuilles de thym frais
5 cl d'huile d'olive
1 jaune d'œuf battu avec 1 cuillerée à café d'eau
sel fin
poivre du moulin

Homard à l'américaine

Ingrédients

pour 4 personnes

4 homards vivants de 450 g chacun
4 échalotes moyennes
1 carotte
4 petites tomates
200 g de beurre demi-sel ramolli
1 pointe de couteau de cayenne
10 cl de whisky
sel
poivre du moulin

Plongez les homards dans de l'eau bouillante pendant 2 minutes. Faites-les ensuite immédiatement refroidir dans de l'eau froide pour arrêter leur cuisson. Égouttez-les, détachez les pinces, coupez les queues en 3 médaillons d'égale épaisseur.
Réservez le corail, les intestins et le sang contenus dans les têtes des homards. Fendez les pinces avec un maillet. Concassez les têtes à l'aide d'un grand couteau.
Émincez les échalotes, taillez la carotte en rouelles et les tomates en morceaux.
Préparez la sauce américaine : dans une cocotte, faites revenir dans 100 g de beurre demi-sel, sur feu vif, les queues et les pinces de homard 2 minutes environ. Sortez-les de la cocotte et réservez-les. Dégraissez la cocotte et ajoutez les têtes de homard concassées, les échalotes, la carotte, les tomates et le cayenne. Faites suer 3 minutes sur feu moyen, puis déglacez avec le whisky. Faites réduire quelques minutes, puis mouillez d'eau à hauteur, couvrez et laissez cuire 30 minutes.
Réunissez les corails de homard et 100 g de beurre ramolli. Salez, poivrez, mélangez intimement, passez au tamis.
Passez la sauce américaine au chinois dans une sauteuse, remettez-la sur feu doux et incorporez petit à petit le beurre au corail sans cesser de fouetter. Lorsque la sauce a la bonne consistance, remettez-y tous les morceaux de homard et laissez chauffer 2 minutes sans bouillir.
Dressez dans une belle cocotte et nappez de la sauce.
Vous pouvez accompagner de riz à la créole.

Perdreaux à la normande

Pelez les pommes, épépinez-les et coupez-les en quartiers.
Faites-les revenir dans 50 g de beurre jusqu'à légère coloration, saupoudrez-les de cannelle et déglacez la cuisson au vinaigre de cidre.
Préchauffez le four à 210 °C (th. 7).
Posez une cocotte sur feu vif, ajoutez 50 g de beurre et faites-y colorer les perdreaux sur toutes leurs faces. Glissez au four la cocotte non couverte et faites cuire 10 minutes.
Sortez la cocotte du four et ajoutez les pommes, déglacez avec le calvados et ajoutez la crème liquide. Salez et poivrez. Remettez la cocotte sur feu doux pour cuire encore 3 minutes puis servez directement.

Ingrédients

POUR 4 PERSONNES

4 perdreaux vidés et bridés
100 g de beurre
4 pommes granny-smith
1/2 cuillerée à café de cannelle en poudre
1 trait de vinaigre de cidre
10 cl de crème liquide
2 cuillerées à soupe de calvados
sel
poivre du moulin

On mange aussi dans *Madame Bovary*

Enfin paraît le premier chef-d'œuvre, *Madame Bovary*, dont le thème, tiré d'un petit fait divers – « un livre sur rien » dit-il – permet à Flaubert de mettre enfin en pratique cette nouvelle vision de l'art qui, selon le joli mot de Nathalie Sarraute, va faire de lui l'incontestable « précurseur » de la littérature contemporaine. Dans ce singulier texte, où il est donc légitime de voir le premier roman véritablement contemporain, la nourriture n'est pas absente, qui participe à la traduction de la réalité de la vie.

La noce normande, à elle seule, constitue un chapitre clé du roman et de la maîtrise du style de Flaubert : « C'était sous le hangar de la charretterie que la table était dressée. Il y avait dessus quatre aloyaux, six fricassées de poulets, du veau à la casserole, trois gigots et, au milieu, un joli cochon de lait rôti, flanqué de quatre andouilles à l'oseille. Aux angles se dressait l'eau-de-vie, dans les carafes. Le cidre doux en bouteilles poussait sa mousse épaisse autour des bouchons, et tous les verres d'avance avaient été remplis de vin jusqu'au bord. De grands plats de crème jaune, qui flottaient d'eux-mêmes au moindre choc de la table, présentaient, dessinés sur leur surface unie, les chiffres des nouveaux époux, en arabesque de nonpareille.

« On avait été chercher un pâtissier à Yvetot, pour les tourtes et les nougats. Comme il débutait dans le pays, il avait soigné les choses et il apporta lui-même, au dessert, une pièce montée qui fit pousser des cris. À la base d'abord, c'était un carré de carton bleu figurant un temple avec portiques, colonnades et statuettes de stuc tout autour, dans des niches constellées d'étoiles en papier doré ; puis se tenait au second étage un donjon en gâteau de Savoie, entouré de menues fortifications en angélique, amandes, raisins secs, quartiers d'oranges ; et enfin sur la plate-forme supérieure, qui était une prairie verte où il y avait des rochers, avec des lacs de confitures et des bateaux en écales de noisettes, on voyait un petit amour se balançant à une escarpolette de chocolat, dont les deux poteaux étaient terminés par deux boutons de roses naturelles en guise de boules, au sommet.

Jusqu'au soir on mangea. Quand on était trop fatigué d'être assis, on allait se promener dans les cours ou jouer une partie de bouchon dans la grange. Puis on revenait à table. Quelques-uns, à la fin, s'y endormirent et ronflèrent. Mais au café tout se ranima, on entama des chansons, on fit des tours de force, on portait des poids,

on passait sous son pouce, on essayait à soulever les charrettes sur ses épaules, on disait des gaudrioles, on embrassait les dames. Le soir, pour partir, les chevaux gorgés d'avoine jusqu'aux naseaux eurent du mal à entrer dans les brancards ». Cette « orgie » de table n'empêche pas quelques mauvais esprits – dont un cousin mareyeur qui avait apporté deux soles comme présent de mariage – avec « quatre ou cinq autres des invités qui, ayant eu par hasard, plusieurs fois de suite à table les bas morceaux des viandes » de trouver qu'on les avait mal reçus et « chuchotaient sur le compte de leur hôte et souhaitaient sa ruine à mots couverts ».
Extraordinaire morceau de littérature auquel le plus évident disciple de Flaubert, Guy de Maupassant, va bientôt faire écho avec une autre noce normande, digne de celle de son maître : « La grande ferme paraissait attendre là-bas, au bout de la voûte des pommiers. Une odeur épaisse de mangeaille s'exhalait du vaste bâtiment, de toutes ses ouvertures, des murs eux-mêmes. Comme un serpent, la suite des invités s'allongeait à travers la cour. Les premiers, atteignant la maison, brisaient la chaîne, s'éparpillaient, tandis que là-bas, il en entrait toujours par la barrière ouverte. Les fossés maintenant étaient garnis de gamins et de pauvres curieux ; et les coups de fusil ne cessaient pas, éclatant de tous côtés à la fois, mêlant à l'air une buée de poudre et cette odeur qui grise comme de l'absinthe. Devant la porte, les femmes tapaient sur leurs robes pour en faire tomber la poussière, dénouaient les oriflammes qui servaient de rubans à leurs chapeaux et les posaient sur leurs bras,

puis entraient dans la maison pour se débarrasser définitivement de ces ornements. La table était mise dans la grande cuisine, qui pouvait contenir cent personnes. On s'assit à deux heures. À huit heures on mangeait encore. Les hommes déboutonnés, en bras de chemise, la face rougie, engloutissaient comme des gouffres. Le cidre jaune luisait, joyeux, clair et doré, dans de grands verres, à côté du vin coloré, du vin sombre, couleur de sang. Entre chaque plat on faisait un trou, le trou normand, avec un verre d'eau-de-vie qui jetait du feu dans les corps et de la folie dans les têtes. De temps en temps un convive, plein comme une barrique sortait jusqu'aux arbres prochains, se soulageait, puis rentrait avec une faim nouvelle aux dents. Les fermières, écarlates, oppressées, les corsages tendus comme des ballons coupés en deux par le corset, gonflés du haut et du bas, revenaient plus joyeuses, prêtes à rire. Et les lourdes plaisanteries commencèrent. C'était des bordées d'obscénités lâchées à travers la table, et toutes sur la nuit nuptiale. L'arsenal de l'esprit paysan fut vidé. Depuis cent ans, les mêmes grivoiseries servaient aux mêmes occasions et, bien que chacun les connût, elles portaient encore, faisaient partir en un rire retentissant les deux enfilées de convives. Un vieux à cheveux gris appelait : "Les voyageurs pour Mézidon en voiture. » Et c'étaient des hurlements de gaieté."

Jarret de veau en casserole

Ingrédients

POUR **4** PERSONNES

1 jarret de veau de 2 kg
60 g de beurre
2 carottes
1 gros oignon
100 g de poitrine fumée en tranches
2 tomates
200 g de fines bardes de lard gras
1 bouquet garni (thym, laurier, persil plat)
1 litre de fond brun de veau
sel
poivre du moulin

Préchauffez le four à 150 °C (th. 5).
Mondez les tomates après les avoir ébouillantées, épépinez-les et concassez-les.
Salez et poivrez le jarret de veau sur toute sa surface et faites-le colorer dans une cocotte avec 30 g de beurre.
Préparez la garniture aromatique : émincez les carottes et l'oignon. Faites suer le tout dans 30 g de beurre avec la poitrine fumée. Lorsque la garniture a pris un peu de couleur, ajoutez les tomates et laissez compoter sur feu doux.
Tapissez le fond de la cocotte de la moitié des bardes de lard gras, déposez sur ce lit le jarret et la garniture. Ajoutez le bouquet garni, mouillez avec le fond brun de veau et recouvrez du reste de lard gras. Faites cuire 3 heures à four doux en arrosant régulièrement le jarret pour bien le glacer.
Une fois le jarret bien cuit et glacé, retirez-le, dressez-le sur un plat chaud. Passez le jus de cuisson au chinois et rectifiez son assaisonnement et sa texture (s'il est trop long, faites-le réduire).
Vous pouvez servir, en accompagnement, une bonne poêlée de cèpes.

SALMIS DE COLVERT

La veille, préparez le fond brun de canard : taillez en mirepoix (c'est-à-dire en petits dés) les carottes et l'oignon. Parez les champignons qui serviront le lendemain à préparer la recette ; réservez les champignons parés au frais et gardez les parures pour le fond. Faites rissoler les abattis de canard au beurre jusqu'à ce qu'ils soient bien colorés, ajoutez la mirepoix et le bouquet garni. Faites prendre un peu de couleur, déglacez avec le vin rouge, faites réduire aux deux tiers. Ajoutez les parures de champignons et mouillez d'eau à hauteur. Couvrez, faites cuire 1 heure sur feu doux, puis passez au chinois, laissez refroidir et réservez au frais jusqu'au lendemain.

Préparez la farce à gratin : émincez finement l'échalote. Faites sauter au beurre, sur feu très vif, les foies des canards en les saisissant bien. Ajoutez l'échalote ciselée, faites revenir quelques instants puis déglacez avec le cognac et ajoutez les parures de foie gras. Salez et poivrez. Passez au mixeur puis au tamis. Réservez au frais.

Préchauffez le four à 240 °C (th. 8).

Flambez, videz et bridez les canards. Salez-les et poivrez-les. Faites-les rôtir au four pendant 20 minutes avec 30 g de beurre. Après15 minutes de cuisson, retirez-les et réservez-les sur une grille pour les laisser tiédir.

Pendant ce temps, déglacez le sautoir avec le fond de canard et faites réduire cette sauce jusqu'à ce qu'elle soit de bon goût. Montez-la avec 30 g de beurre.

Quand les canards sont tièdes, levez les cuisses et les poitrines, retirez leur peau et rangez-les dans un sautoir beurré avec 20 g de beurre. Couvrez le récipient. Taillez la truffe en lamelles. Faites sauter les champignons dans 30 g de beurre pendant quelques minutes jusqu'à ce qu'ils prennent couleur, disposez-les sur le canard ainsi que les lamelles de truffe et versez la sauce sur le canard.

Poêlez les croûtons de pain de mie et tartinez-les de farce à gratin. Passez-les à four chaud pour les faire gratiner juste avant de servir avec le salmis de colvert.

Ingrédients

POUR 4 PERSONNES

2 canards colverts bien en chair, plumés, flambés, vidés et bridés, avec leurs abattis (réservez les foies à part)
140 g de beurre
100 g de truffes
300 g de champignons
8 beaux croûtons de pain de mie
100 g de farce à gratin
sel
poivre du moulin

Le fond brun de canard

Les abattis des canards
2 carottes
1 oignon
30 g de beurre
1 bouteille de vin rouge
1 l de fond brun de canard
1 bouquet garni

La farce à gratin

Les foies des canards
1 échalote
20 g de beurre
1 cuillerée à café de cognac
50 g de parures de foie gras
sel
poivre du moulin

Galettes au beurre

Ingrédients

POUR 4 PERSONNES

4 jaunes d'œufs
200 g de sucre
220 g de beurre en pommade
5 g de sel
300 g de farine
20 g de levure chimique

Mélangez les jaunes d'œufs et le sucre au fouet jusqu'à ce que le mélange prenne l'aspect pâle et crémeux d'un sabayon. Incorporez le beurre en pommade peu à peu, en noisettes ; puis ajoutez petit à petit le sel, la farine et la levure. Débarrassez cette pâte dans un saladier.

Préchauffez le four à 180 °C (th. 6).

Prenez des cercles à pâtisserie de la taille d'une galette (environ 6 cm de diamètre), beurrez-les, farinez-les et posez-les sur une plaque beurrée. Versez dans chacun une cuillerée à soupe de cet appareil et glissez la plaque au four. Faites cuire jusqu'à obtention d'une belle coloration blonde uniforme. Laissez refroidir sur une grille.

Selon le nombre de cercles dont vous disposez, faites cuire plusieurs fournées de ces galettes.

Le rêve d'Emma, la soirée au château

Hors l'imagination débridée de Flaubert, *Madame Bovary* comporte nombre de souvenirs personnels de l'écrivain, qu'on retrouve dans cet autre moment capital du roman, la soirée au château, réminiscence d'un bal auquel le jeune homme avait, naguère, participé aux côtés de ses parents. « Emma se sentit, en entrant, enveloppée par un air chaud, mélange du parfum des fleurs et du beau linge, du fumet des viandes et de l'odeur des truffes. Les bougies des candélabres allongeaient les flammes sur les cloches d'argent ; les cristaux à facettes, couverts d'une buée mate, se renvoyaient des rayons pâles ; des bouquets étaient en ligne sur toute la longueur de la table et, dans les assiettes à large bordure, les serviettes, arrangées en manière de bonnet d'évêque, tenaient entre le bâillement de leurs deux plis chacune un petit pain de forme ovale. Les pattes rouges des homards dépassaient les plats ; de gros fruits, dans des corbeilles à jour, s'étageaient sur de la mousse ; les cailles avaient leurs plumes, des fumées montaient ; et, en bas de soie, en culotte courte, en cravate blanche, en jabot, grave comme un juge, le maître d'hôtel, passant entre les épaules des convives, les plats tout découpés, faisait d'un coup, de sa cuiller sauter pour vous le morceau qu'on choisissait... On versa du vin de Champagne à la glace. Emma frissonna de toute sa peau, en sentant ce froid dans sa bouche. Elle n'avait jamais vu de grenades ni mangé d'ananas. Le sucre en poudre même lui parut plus blanc et plus fin qu'ailleurs. »

Le bal qui suit, dans lequel l'héroïne découvre le goût « d'une glace au marasquin, qu'elle tenait de la main gauche dans une coquille de vermeil, et fermait à demi les yeux, la cuiller entre les dents », s'achève, comme le veut alors l'usage, par un souper, tout aussi somptueux que le dîner, dans lequel « il y eut beaucoup de vins d'Espagne et de vins du Rhin, des potages à la bisque et au lait d'amandes, des puddings à la Trafalgar et toutes sortes de viandes froides avec des gelées alentour qui tremblaient dans les plats. »

C'est dit, le dîner mondain entre ainsi en littérature et Marcel Proust s'en souviendra, lui le grand lecteur de Balzac et de Flaubert. Il sera repris par nombre d'auteurs, mais un, en particulier fait date, celui que, dans *La Curée*, Aristide Saccard offre à ses hôtes et

dans lequel Émile Zola, proche ami de Flaubert, s'inspire avec évidence de l'auteur de *Madame Bovary*, jusqu'à proposer une vision religieuse et mystico-sexuelle du dîner :

« Quelques personnes arrivèrent encore. Il y avait au moins une trentaine de personnes dans le salon. Les conversations reprirent ; pendant les moments de silence, on entendait, derrière les murs, des bruits légers de vaisselle et d'argenterie. Enfin, Baptiste ouvrit une porte à deux battants et, majestueusement, il dit la phrase sacramentelle,

« – Madame est servie.

« ... Et à cette heure en effet, au milieu du large tapis persan, de teinte sombre, qui étouffait le bruit des pas, sous la clarté crue du lustre, la table, entourée de chaises dont les dossiers noirs à filet d'or, l'encadraient d'une ligne sombre, était comme un autel, comme une chapelle ardente où, sur la blancheur éclatante de la nappe, brûlaient les flammes claires des cristaux et des pièces d'argenterie. Au-delà des dossiers sculptés, dans une ombre flottante, à peine apercevait-on les boiseries des murs, un grand buffet bas, des pans de velours qui traînaient. Forcément, les yeux revenaient à la table, s'emplissaient de cet éblouissement. Un admirable surtout d'argent mat, dont les ciselures luisaient, en occupait le centre ; c'était une bande de faunes enlevant des nymphes ; et au-dessus du groupe, sortant d'un large cornet, un énorme bouquet de fleurs naturelles retombait en grappes. Aux deux bouts, des vases contenaient également des gerbes

de fleurs ; deux candélabres, appareillés au groupe du milieu, faits chacun d'un satyre courant, emportant sur l'un de ses bras une femme pâmée, et tenant de l'autre une torchère à dix branches, ajoutaient l'éclat au rayonnement du lustre central.

« Entre ces pièces principales, les réchauds, grands et petits, s'alignaient symétriquement, chargés du premier service, flanqué des coquilles contenant les hors-d'œuvre, séparés par des corbeilles de porcelaine, des vases de cristal, des assiettes plates, des compotiers montés, contenant la partie du dessert qui était déjà sur la table. Le long du cordon des assiettes, l'armée des verres, les carafes d'eau et de vins, les petites salières, tout le cristal du service était mince et léger comme de la mousseline, sans une ciselure, si transparent qu'il ne jetait aucune ombre. Et le surtout, les grandes pièces semblaient des fontaines de feu ; des éclairs couraient dans le flanc poli des réchauds ; les fourchettes, les cuillers, les couteaux à manche de nacre, faisaient des barres de flammes ; des arcs-en-ciel allumaient les verres ; et, au milieu de cette pluie d'étincelles, dans cette masse incandescente, les carafes de vin tachaient de rouge la nappe chauffée à blanc. »

Écrevisses bonne-mère

Châtrez les écrevisses en saisissant entre vos doigts l'aileron central de la nageoire caudale. Tirez dessus en lui donnant un mouvement circulaire : le boyau intestinal se détachera avec l'aileron.
Portez le court-bouillon à ébullition et faites-y cuire les écrevisses pendant 3 minutes. Égouttez-les, laissez-les refroidir et décortiquez-les, mais gardez-en quatre pour le décor du plat.
Prenez 25 cl de bouillon de cuisson des écrevisses, faites-le réduire de moitié, ajoutez la crème, faites encore réduire de moitié et montez la sauce au fouet avec 80 g de beurre. Rectifiez l'assaisonnement.
Faites sauter les queues d'écrevisse avec les échalotes dans le reste de beurre, flambez-les au cognac, nappez-les de la sauce et servez.

Ingrédients

POUR 4 PERSONNES

24 écrevisses
2 litres de court-bouillon
25 cl de crème fraîche
100 g de beurre
3 échalotes ciselées
4 cl de cognac
sel
poivre du moulin

Paleron de bœuf à la royale

Ingrédients

POUR 4 PERSONNES

1 petit paleron de bœuf entier dégraissé
1 pied de veau
2 carottes
3 poireaux
1 branche de céleri
1 oignon
1 clou de girofle
1 bouquet garni
30 g de truffe
150 g de foie gras cru
sel
poivre du moulin

Épluchez et parez les carottes, les poireaux, l'oignon et la branche de céleri. Piquez l'oignon du clou de girofle.
Faites blanchir le paleron et le pied de veau 2 minutes dans une braisière d'eau bouillante. Égouttez-les, changez l'eau. Remettez le paleron et le pied de veau dans l'eau, puis ajoutez les carottes, les poireaux, le céleri, l'oignon piqué du clou de girofle et le bouquet garni. Salez, portez à ébullition, baissez le feu, couvrez et faites cuire 4 heures à frémissement. Laissez refroidir la viande dans le consommé.
Réservez le paleron et les légumes égouttés, éliminez le pied de veau, gardez le consommé. Faites-y cuire le foie gras à très petite température (le liquide ne doit pas dépasser 60 °C) pendant 15 minutes. Laissez-le également refroidir dans le consommé.
Retirez le foie gras, dégraissez complètement le consommé puis clarifiez-le (si nécessaire) avec 2 blancs d'œufs battus : portez-le à frémissement, ajoutez les blancs d'œufs battus, faites mijoter quelques minutes le temps que les impuretés adhèrent au blanc d'œuf.
Hachez finement la truffe au couteau. Filtrez le consommé à travers un torchon et ajoutez la truffe hachée. Rectifiez l'assaisonnement.
Tranchez le paleron et le foie gras. Dans un plat creux, disposez les tranches de paleron et de foie gras ; recouvrez de la gelée truffée et réservez plusieurs heures au réfrigérateur.
Servez les poireaux cuits assaisonnés de vinaigrette truffée.

Flan d'abricots à la Metternich

Préparez d'abord la pâte brisée : délayez le sel et le sucre dans l'eau. Versez la farine dans une terrine, ajoutez le beurre ramolli et travaillez le mélange du bout des doigts jusqu'à obtention d'une texture sableuse régulière. Ajoutez l'eau tout en travaillant légèrement la pâte de manière à obtenir une boule bien lisse. Enveloppez-la de film étirable et laissez-la reposer 30 minutes au réfrigérateur.
Préchauffez le four à 150 °C (th. 5).
Beurrez et farinez une tourtière, abaissez la pâte au rouleau en un disque du diamètre du récipient. Disposez-y la pâte et piquez-la sur toute sa surface avec une fourchette. Réservez au frais.
Pour obtenir l'appareil à flan, battez dans une terrine la farine, le sucre, la crème fraîche et les œufs.
Dénoyautez les abricots et les cerises. Coupez les abricots en quatre et mélangez les deux fruits en les saupoudrant légèrement de sucre. Disposez les fruits au fond de la tourtière et versez l'appareil dessus.
Faites cuire 45 minutes au four.

Ingrédients

POUR 8 PERSONNES

La pâte brisée
200 g de farine
100 g de beurre ramolli
10 cl d'eau
5 g de sel
12 g de sucre

L'appareil à flan
100 g de farine
100 g de sucre
20 cl de crème fraîche
5 œufs

Les fruits
500 g d'abricots mûrs
500 g de cerises mûres

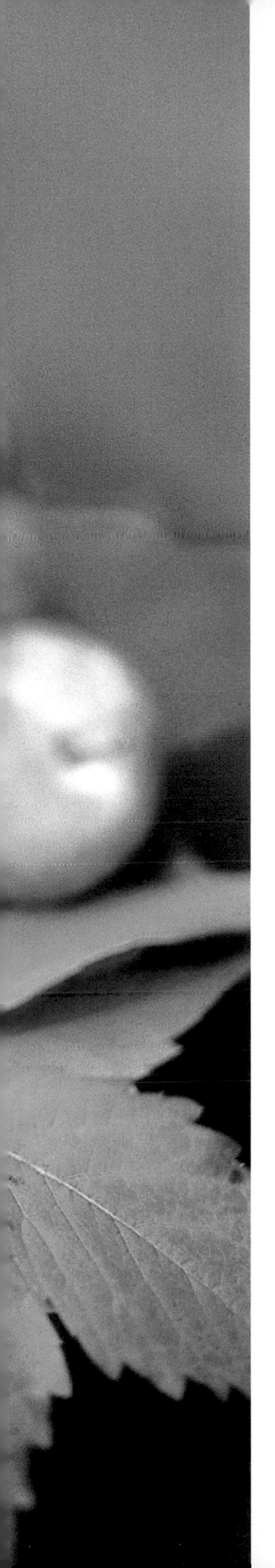

La tragédie de la médiocrité

En revenant de la soirée, Emma est découragée de découvrir la médiocrité de son existence, à commencer par celle du dîner composé d' « une soupe à l'oignon, avec un morceau de bœuf à l'oseille ». Pourtant, naguère, la jeune femme « savait conduire sa maison », mais quel contraste avec la magnificence de la fête, malgré, au début, la bonne volonté de la jeune femme ! « Quand ils avaient, le dimanche, quelque voisin à dîner, elle trouvait le moyen d'offrir un plat coquet, s'entendait à poser sur des feuilles de vigne les pyramides des reines-claudes, servait renversés les pots de confiture dans une assiette, et même parlait d'acheter des rince-bouche pour le dessert. Il rejaillissait de tout cela beaucoup de considération sur Bovary. »

Mais cette apparence de félicité ne dure guère : « Il rentrait tard, à dix heures, minuit quelquefois. Alors il demandait à manger et, comme la bonne était couchée, c'était Emma qui le servait. Il retirait sa redingote pour dîner plus à son aise. Il disait les uns après les autres tous les gens qu'il avait rencontrés, les villages où il avait été, les ordonnances qu'il avait écrites, et, satisfait de lui-même, il mangeait le reste du miroton, épluchait son fromage, croquait une pomme, vidait sa carafe puis s'allait mettre au lit, se couchait sur le dos et ronflait. » La longue suite des jours, en effet, accentue le malaise de la jeune femme. « Elle se sentait, d'ailleurs, plus irritée de lui. Il prenait, avec l'âge, des allures épaisses ; il coupait, au dessert, les bouchons des bouteilles vides ; il se passait, après manger, la langue sur les dents ; il faisait, en avalant sa soupe, un gloussement à chaque gorgée, et comme il commençait d'engraisser, ses yeux, déjà petits, semblaient remonter vers les tempes par la bouffissure de ses pommettes. » Car, ajoute Flaubert – et c'est tellement révélateur ! – « c'était surtout aux heures des repas qu'elle n'en pouvait plus, dans cette petite salle au rez-de-chaussée, avec le poêle qui fumait, la porte qui criait, les murs qui suintaient, les pavés humides ; toute l'amertume de l'existence lui semblait servie sur son assiette, et à la fumée du bouilli, il montait du fond de son âme comme d'autres bouffées d'affadissement. Charles était long à manger ; elle grignotait quelques noisettes ou bien, appuyée du coude, s'amusait avec la pointe de son couteau, à faire des raies sur la toile cirée ».

Emma finit par s'empoisonner, malgré les soins d'un

grand spécialiste venu de Rouen, que le pharmacien convie à déjeuner, ce qui nécessite d'aller en catastrophe « prendre des pigeons au Lion d'Or, tout ce qu'il y avait de côtelettes à la boucherie, de la crème chez Tuvache, des œufs chez Lestiboudois... » Dérisoire collation pour clore une tragédie de village. Le pharmacien rejoint ensuite le curé pour la veillée funèbre. « Félicité avait eu soin de mettre pour eux, sur la commode, une bouteille d'eau-de-vie, un fromage et une grosse brioche. Aussi l'apothicaire, qui n'en pouvait plus, soupira vers quatre heures du matin :

« – Ma foi, je me sustenterais avec plaisir !

« L'ecclésiastique ne se fit point prier, il sortit pour aller dire sa messe, revint ; puis ils mangèrent et trinquèrent, tout en ricanant un peu, sans savoir pourquoi, excités par cette gaieté vague qui vous prend après des séances de tristesse... »

Tout est dit ; qu'ajouter de plus ?

Queue de bœuf à la bourgeoise

Faites blanchir la queue de bœuf, le plat de côtes et les os à moelle quelques instants dans de l'eau bouillante. Après l'ébullition, changez l'eau et remettez la marmite sur le feu. Assaisonnez de gros sel.
Épluchez et lavez tous les légumes, ficelez les poireaux, coupez l'oignon en deux et piquez chaque moitié d'un clou de girofle. Déposez-les ensuite dans une poêle antiadhésive afin de les faire roussir (côté plat).
Enveloppez les grains de poivre dans une mousseline. Ajoutez tous les légumes, l'oignon et le poivre dans la marmite contenant la viande, portez à ébullition et faites mijoter 3 heures environ, sur feu doux, en prenant soin de réserver les légumes à mesure qu'ils sont cuits.
Coupez les poireaux en 3 dans le sens de la longueur, coupez les carottes en gros bâtonnets, effeuillez le chou, taillez le céleri en bâtonnets et les navets en quartiers.
Garnissez des feuilles de chou le fond d'un grand plat creux de service. Disposez les queues de bœuf sur ce lit ainsi que la moelle, entourez de tous les légumes. Versez dans le plat un fond de bouillon et servez très chaud avec de la fleur de sel et du raifort râpé (ou une sauce au raifort déjà préparée).

Ingrédients

POUR 4 PERSONNES

2 kg de queue de bœuf en tronçons de 8 cm
300 g de plat de côtes
2 os à moelle
4 petits poireaux
2 carottes
1/4 de chou
1/2 pied de céleri-branche
2 navets
1 oignon
2 clous de girofle
raifort râpé ou sauce au raifort pour le service
1/2 cuillerée à café de poivre en grains
gros sel
fleur de sel

Soupe au chou au lard fumé

Ingrédients

POUR **4** PERSONNES

1 chou vert de 1,5 kg
150 g de poitrine fumée
2 cuillerées à soupe de graisse d'oie
1 grosse carotte
1 navet
100 g de céleri-rave
1 petit oignon
1 bouquet garni
1 gousse d'ail
2 l de bouillon de pot-au-feu
sel
poivre du moulin

Retirez les feuilles extérieures du chou, ne gardez que le cœur bien ferme.
Épluchez les légumes, lavez-les puis émincez-les, excepté le chou. Coupez celui-ci en quartiers.
Placez les quartiers de chou dans une marmite, couvrez d'eau ; ajoutez la poitrine fumée, portez à ébullition et faites bouillir 5 minutes. Rafraîchissez le chou et le lard sous l'eau froide courante et égouttez.
Taillez le chou en grosses lanières, la poitrine en petits lardons.
Faites chauffer la graisse d'oie dans la marmite. Faites-y suer les lardons quelques instants, ajoutez tous les légumes (sauf le chou), ainsi que le bouquet garni et la gousse d'ail. Faites suer le tout pendant environ 10 minutes sur feu doux, puis ajoutez le chou en lanières et mouillez avec le bouillon de pot-au-feu.
Portez à ébullition, baissez le feu, couvrez et laissez cuire 1 petite heure sur feu très doux, à frémissement.
Rectifiez l'assaisonnement et servez avec des croûtons frits.

Gâteau de riz au caramel

Portez le lait à ébullition avec les gousses de vanille fendues dans le sens de la longueur. Couvrez et laissez infuser.
Faites bouillir de l'eau et versez-la sur le riz pour le blanchir.
Laissez reposer 2 minutes, puis égouttez le riz et versez-le dans le lait bouillant.
Faites cuire le riz à couvert 35 minutes sur feu doux en le remuant de temps en temps. Quand il est cuit, ajoutez le beurre, puis les jaunes d'œufs un à un. Mélangez bien, laissez refroidir.
Retirez les gousses de vanille ; prenez les 3 œufs entiers, séparez les blancs des jaunes. Incorporez au riz au lait les jaunes et le sucre. Montez les blancs en neige ferme et mélangez-les au riz au lait.
Préchauffez le four à 210 °C (th. 7).
Faites cuire les 150 g de sucre dans une petite casserole jusqu'à obtention d'un caramel foncé. Versez-en la moitié dans un moule à charlotte et tournez le moule en tous sens pour bien napper le fond et les bords. Diluez le caramel restant avec un peu d'eau ; réservez.
Versez le riz dans le moule, placez celui-ci dans un bain-marie, par exemple un moule à manqué plus grand. Versez-y de l'eau à ébullition et faites cuire au four 40 minutes environ.
Laissez refroidir le gâteau de riz, démoulez-le sur un plat de service et nappez-le du reste de caramel réservé.

Ingrédients

POUR 4 PERSONNES

90 cl de lait
2 gousses de vanille
200 g de riz rond
50 g de beurre
3 jaunes d'œufs
3 œufs entiers
100 g de sucre
150 g de sucre pour le caramel

Les banquets de Salammbô

C'est après s'être documenté en visitant le site de Carthage et en dévorant un nombre extraordinaire de livres, que Flaubert se lance dans le second de ses chefs-d'œuvre, *Salammbô* où, comme l'érotisme, la gastronomie est présente, ainsi qu'il l'écrit à Bouilhet après avoir mis le point final à son texte : « Je te f... des mets épicés, sacré bougre, » ce que réalisent bien les Goncourt, écrivant alors : « Flaubert regrette une grosse barbarie, un âge de force, de déploiement de nudité, une ère primitive et sadique, l'âge sanguin du monde ; des batailles, des grands coups ; des temps héroïques, sauvages, tatoués de couleurs crues, chargés de verroterie. » Et c'est d'ailleurs par un grand banquet – celui des mercenaires d'Hamilcar – que s'ouvre le roman, dont le début constitue une des plus magistrales entrées littéraires : « C'était à Mégara, faubourg de Carthage, dans les jardins d'Hamilcar. » Quoi de plus réel en effet que la nourriture pour acclimater le lecteur aux mœurs de ces terribles et fascinants barbares, dont l'écrivain aurait tant aimé être du nombre ?

« Ils s'allongeaient sur des coussins, ils mangeaient accroupis autour de grands plateaux ou bien, couchés sur le ventre, ils tiraient à eux les morceaux de viande, et se rassasiaient appuyés sur les coudes, dans la pose pacifique des lions lorsqu'ils dépècent leur proie. Les derniers venus, debout contre les arbres, regardaient les tables basses disparaissant à moitié sous des tapis d'écarlate et attendaient leur tour. Les cuisines d'Hamilcar n'étant pas suffisantes, le Conseil leur avait envoyé des esclaves, de la vaisselle, des lits ; et l'on voyait au milieu du jardin, comme sur un champ de bataille quand on brûle les morts, de grands feux clairs où rôtissaient des bœufs. Les pains saupoudrés d'anis alternaient avec les gros fromages plus lourds que des disques, et les cratères pleins de vin, et les canthares pleins d'eau auprès des corbeilles en filigrane d'or qui contenaient des fleurs. La joie de pouvoir enfin se gorger à l'aise dilatait tous les yeux ; ça et là les chansons commençaient.

« D'abord on leur servit des oiseaux à la sauce verte, dans des assiettes d'argile rouge rehaussée de dessins noirs, puis toutes les espèces de coquillages que l'on ramasse sur les côtes puniques, des bouillies de froment, de fève, d'orge, et des escargots au cumin sur des plats d'ambre jaune. Ensuite les tables furent couvertes de viandes : antilopes avec leurs cornes, paons avec leurs plumes, moutons entiers cuits au vin doux, gigots de chamelles et de buffles, hérissons au garum, cigales frites et loirs confits. Dans des gamelles de bois de Tamrapanni flottaient, au milieu du safran, de grands morceaux de graisse. Tout débordait de saumure, de truffes et *d'assa foetida*. Les pyramides de fruits s'éboulaient sur les gâteaux de miel, et l'on n'avait pas oublié quelques-uns de ces petits chiens à gros ventre et à soies roses que l'on engraissait avec du marc d'olive, mets carthaginois en abomination aux autres peuples.

« La surprise des nourritures nouvelles excitait la cupidité des estomacs. Les Gaulois aux longs cheveux retroussés sur le sommet de la tête s'arrachaient les pastèques et les limons qu'ils croquaient avec l'écorce. Des nègres n'ayant jamais vu de langoustes se déchiraient le visage à leurs piquants rouges. Mais les Grecs rasés, plus blancs que des marbres, jetaient derrière eux les épluchures de leur assiette, tandis que les pâtres du Brutium, vêtus de peaux de loups, dévoraient silencieusement, le visage dans leur portion. La nuit tombait. On retira le velarium étalé sur l'avenue de cyprès et l'on apporta des flambeaux. Les lueurs vacillantes du pétrole qui brûlait dans des vases de porphyres effrayèrent au haut des cèdres, les singes consacrés à la lune. Ils poussèrent des cris, ce qui mit les soldats en gaieté. Des flammes oblongues tremblaient sur les cuirasses d'airain.

Toutes sortes de scintillements jaillissaient des plats incrustés de pierres précieuses. Les cratères, à bordure de miroirs convexes, multipliaient l'image élargie des choses ; les soldats se pressant autour s'y regardaient avec ébahissement et grimaçaient pour se faire rire. Ils se lançaient, par-dessus les tables, les escabeaux d'ivoire et les spatules d'or. Ils avalaient à pleine gorge tous les vins grecs qui sont dans des outres, les vins de Campanie enfermés dans les amphores, les vins de Cantabres que l'on apporte dans des tonneaux, et les vins de jujubier, de cinnamome et de lotus. Il y en avait des flaques par terre où l'on glissait. La fumée des viandes montait dans les feuillages avec la vapeur des haleines. On entendait à la fois le claquement des mâchoires, le bruit des paroles, des chansons, des coupes, le fracas des vases campaniens qui s'écroulaient en mille morceaux ou le son limpide d'un grand plat d'argent. »
Faim des mercenaires piégés par Hamilcar, qui finissent par se dévorer entre eux, faim de Carthage, lancinante complainte qui fait aussi de *Salammbô* un roman de la faim et du plaisir de manger ! « Carthage était en joie, une joie profonde, universelle, démesurée, frénétique ; on avait bouché les trous des ruines, repeint les statues des dieux, des branches de myrte parsemaient les rues, au coin des carrefours l'encens fumait, et la multitude sur les terrasses faisait avec ses vêtements bigarrés comme des tas de fleurs qui s'épanouissaient dans l'air. Le continuel glapissement des voix était dominé par le cri des porteurs d'eau arrosant les dalles ; des esclaves d'Hamilcar offraient

en son nom de l'orge grillée et des morceaux de viande crue... Le festin allait durer toute la nuit et les lampadaires à plusieurs branches étaient plantés, comme des arbres, sur les tapis de laine peinte qui enveloppaient les tables basses. De grandes buires d'électrum, des amphores de verre bleu, des cuillères d'écaille et des petits pains ronds se pressaient dans la double série des assiettes à bordures de perles ; des grappes de raisin avec leurs feuilles étaient enroulées comme des thyrses à des ceps d'ivoire ; des blocs de neige se fondaient sur des plateaux d'ébène, et des limons de grenades, des courges et des pastèques faisaient des monticules sous les hautes argenteries ; des sangliers, la gueule ouverte, se vautraient dans la poussière des épices ; des lièvres couverts de leurs poils paraissaient bondir entre les fleurs ; des viandes composées emplissaient des coquilles ; les pâtisseries avaient des formes symboliques ; quand on retirait les cloches des plats, il s'envolait des colombes. »

Chakchouka

Pelez et émincez l'oignon ; taillez l'aubergine et la courgette en gros dés. Mondez les tomates après les avoir ébouillantées, épépinez-les et concassez-les. Taillez le poivron en julienne. Hachez l'ail.
Faites chauffer l'huile d'olive dans une cocotte. Faites-y revenir sur feu doux l'oignon émincé jusqu'à ce qu'il soit légèrement fondu sans coloration. Àjoutez l'ail, remuez pendant 5 minutes sur feu doux, puis ajoutez le poivron et les tomates et laissez mijoter.
Pendant ce temps, poêlez à l'huile d'olive l'aubergine et la courgette jusqu'à légère coloration. Ajoutez-les au contenu de la cocotte avec le bouquet garni. Salez et poivrez, couvrez et faites cuire sur feu très doux pendant une bonne heure. Laissez refroidir, puis ajoutez la coriandre grossièrement ciselée.
Cassez chaque œuf dans un ramequin. Dans une casserole, portez à frémissement l'eau et le vinaigre blanc. Versez les œufs un à un dans l'eau frémissante, laissez cuire 3 minutes sans bouillir. Préparez un saladier d'eau et de glaçons. Retirez les œufs un à un avec une écumoire et rafraîchissez-les immédiatement dans l'eau glacée. Laissez refroidir, puis égouttez.
Préparez le jus de tomate : mondez les tomates après les avoir ébouillantées, épépinez-les et passez-les au mixeur en ajoutant l'huile d'olive et le vinaigre de jerez. Salez, poivrez, passez au chinois. Juste avant de servir, ajoutez le basilic haché.
Disposez la compotée de légumes au centre de chaque assiette, ajoutez l'œuf poché au centre et entourez du jus de tomate.

Ingrédients

POUR 4 PERSONNES

Les légumes du Sud
1 petit oignon
1 aubergine
1 courgette
4 tomates
1 poivron rouge
2 gousses d'ail
10 cl d'huile d'olive
1 bouquet garni
1 petit bouquet de coriandre fraîche
sel
poivre du moulin

Les œufs pochés
4 œufs frais
10 cl de vinaigre blanc
eau

Le jus de tomate
4 tomates bien rouges
1 trait d'huile d'olive
1 trait de vinaigre de jerez
8 feuilles de basilic
sel
poivre

Brik aux fruits de mer et à la coriandre

Ingrédients

POUR 4 PERSONNES

500 g de moules
500 g de coques
500 g de palourdes
2 oignons
1 branche de thym
8 crevettes moyennes crues
1 petit bouquet de persil
1 bouquet de coriandre
4 feuilles de brik
huile d'olive

Grattez les moules, lavez-les soigneusement ; nettoyez les coques et les palourdes et rassemblez tous les coquillages dans un faitout. Hachez 1 oignon et ajoutez-le aux coquillages avec la branche de thym. Couvrez et faites ouvrir les coquillages sur feu vif en remuant une ou deux fois la casserole sans la découvrir. Réservez hors du feu.

Pendant ce temps, faites sauter les crevettes 2 minutes à l'huile d'olive, réservez-les. Décoquillez les moules, les coques et les palourdes ; décortiquez les crevettes cuites.

Lavez et essorez le persil et la coriandre, hachez-les.

Pelez et émincez l'oignon restant. Faites-le revenir à la poêle dans un peu d'huile d'olive. Hors du feu, ajoutez les moules et les crevettes ainsi que les herbes.

Étalez chaque feuille de brik sur le plan de travail et versez un peu de farce au centre. Repliez la feuille en triangle et poêlez-la à l'huile d'olive sur les deux faces. Elle doit être croustillante et dorée.

Baklava aux amandes et aux pignons de pin

Confectionnez la crème pâtissière : fendez la gousse de vanille, ajoutez-la au lait et faites bouillir le tout. Couvrez et laissez infuser. Fouettez le jaune d'œuf avec le sucre et la fécule de maïs, versez-y petit à petit le lait vanillé sans cesser de fouetter, puis faites chauffer en remuant avec une spatule jusqu'à ce que la crème épaississe. Faites fondre le beurre sur toute la surface de la crème pour empêcher la formation d'une pellicule. Laissez refroidir.
Pour obtenir la crème d'amande, battez le beurre ramolli avec le sucre glace ; ajoutez la poudre d'amande, les œufs et l'eau de fleur d'oranger. Mélangez soigneusement. Incorporez la crème pâtissière jusqu'à obtention d'un mélange homogène. Introduisez ce mélange dans une poche à douille.
Dans une tourtière, étalez 4 feuilles de filo en badigeonnant chaque feuille de beurre fondu. Ajoutez la crème d'amande à l'aide de la poche sur toute la surface, parsemez de pignons de pin. Recommencez trois fois cette opération en terminant par 4 feuilles de filo beurrées. Saupoudrez de sucre glace la dernière feuille beurrée.
Faites cuire le baklava 40 minutes à four moyen et découpez-le en carrés une fois cuit.

Ingrédients

POUR 4 PERSONNES

La crème pâtissière

1/2 gousse de vanille
10 cl de lait
10 g de fécule de maïs
20 g de sucre semoule
1 jaune d'œuf
10 g de beurre

Le baklava

1 rouleau (500 g) de feuilles de filo
100 g de beurre ramolli
100 g de sucre glace
100 g de poudre d'amande
2 œufs
1 goutte d'eau de fleur d'oranger
100 g de beurre fondu
100 g de pignons de pin

L'Éducation sentimentale ou le dîner parisien

Un troisième roman – et troisième chef-d'œuvre – même s'il fut à l'époque et demeure encore le plus mal compris de son œuvre, *L'Éducation sentimentale*, se veut tout à la fois l'histoire des désillusions de la jeunesse romantique et la fresque parisienne de l'échec de la monarchie de Juillet. Selon la règle flaubertienne, la cuisine n'en est pas absente, mieux même, elle renforce le réalisme de cette succession de scènes intensément vécues et qui, précisément, font la force de ce texte.

Ainsi le premier dîner chez les Arnoux fait-il office de révélation mondaine et gastronomique : « La compagnie, les mets, tout lui plaisait ! La salle, telle qu'un parloir Moyen Âge, était tendue de cuir battu ; une étagère hollandaise se dressait devant un râtelier

de chibouques ; et autour de la table, les verres de Bohême, diversement décorés, faisaient au milieu des fleurs et des fruits comme une illumination dans un jardin. Il eut à choisir entre dix espèces de moutarde. Il mangea du daspachio, du cari, du gingembre, des merles de Corse, des lasagnes romaines ; il but des vins extraordinaires, du lip-fraoli et du tokay. Arnoux se piquait effectivement de bien recevoir. Il courtisait en vue des comestibles tous les conducteurs de malles-poste, et il était lié avec des cuisiniers de grandes maisons qui lui communiquaient des sauces. »
Même chose dans la maison de campagne du marchand de tableaux, à Saint-Cloud : « rien n'était plaisant comme la salle à manger, peinte d'une couleur vert d'eau. À l'un des bouts, une nymphe de pierre trempait son orteil dans un bassin en forme de coquille. Par les fenêtres ouvertes, on apercevait tout le jardin... » Il est vrai que l'amphitryon est un connaisseur qui, à la manière d'un Alexandre Dumas, n'hésite pas à se mettre lui-même aux fourneaux, comme le soir du bal chez Rosanette : « Elle pria Frédéric d'aller voir dans la cuisine si M. Arnoux n'y était pas. Un bataillon de verres à moitié pleins couvrait le plancher ; et les casseroles, les marmites, la turbotière, la poêle à frire sautaient. Arnoux commandait aux domestiques en les tutoyant, battait la rémolade, goûtait les sauces, rigolait avec la bonne.
« – Bien, dit-il, avertissez-la ! Je fais servir...
« Un lustre de cuivre à quarante bougies éclairait la salle dont les murailles disparaissaient sous de

vieilles faïences accrochées ; et cette lumière crue, tombant d'aplomb, rendait plus blanc encore, parmi les hors-d'œuvre et les fruits, un gigantesque turbot occupant le milieu de la nappe, bordée par des assiettes pleines de potage à la bisque. Avec un froufrou d'étoffes, les femmes, tassant leurs jupes, leurs manches et leurs écharpes, s'assirent les unes près des autres ; les hommes, debout, s'établirent dans les angles... Toutes sortes de propos s'ensuivirent : calembours, anecdotes, vantardises, gageures, mensonges tenus pour vrais, assertions improbables, un tumulte de paroles qui bientôt s'éparpilla en conversations particulières. Les vins circulaient, les plats se succédaient, le docteur découpait. On se lançait de loin une orange, un bouchon ; on quittait sa place pour aller causer avec quelqu'un. Souvent Rosanette se tournait vers Delmar, immobile derrière elle ; Pellerin bavardait, M. Oudry souriait. Mlle Vatnaz mangea presque à elle seule le buisson d'écrevisses ; les carapaces sonnaient sous ses longues dents et la Sphinx buvait de l'eau-de-vie, criant à plein gosier, se démenant comme un démon. » Devenu riche, Frédéric reçoit à son tour, cette fois-ci à « La Maison d'Or », aux Halles, dont Balzac fut naguère l'habitué, et dont Zola sera l'un des clients assidus : « Un domestique en longues guêtres ouvrit la porte et l'on aperçut la salle à manger avec sa haute plinthe en chêne relevé d'or et ses deux dressoirs de vaisselle. Les bouteilles de vin chauffaient sur le poêle ; les lames des couteaux neufs miroitaient près

Le Nuage

des huîtres ; il y avait dans le ton laiteux des verres mousseline comme une douceur engageante et la table disparaissait sous du gibier, des fruits, des choses extraordinaires. « Ne s'agit-il pas, en fin de compte, de rivaliser avec le vicomte de Cisy qui, lorsqu'il reçoit à son tour, sait mettre les petits plats dans les grands ? » À huit heures, on passa dans une salle éclairée magnifiquement et trop spacieuse pour le nombre des convives. Cisy l'avait choisie par pompe, tout exprès. Un surtout de vermeil, chargé de fleurs et de fruits, occupait le milieu de la table, couverte de plats d'argent, suivant la vieille mode française ; des raviers pleins de salaisons et d'épices, faisaient bordure tout autour ; des cruches de vin rosat frappé de glace se dressaient de distance en distance ; cinq verres de hauteur différente étaient alignés devant chaque assiette, avec des choses dont on n'avait pas l'usage, mille ustensiles de bouche ingénieux ; et il y avait, rien que pour le premier service : une hure d'esturgeon mouillée de champagne, un jambon d'York au tokay, des grives, du gratin, des cailles rôties, un vol-au-vent Béchamel, un sauté de perdrix rouges et, aux deux bouts de tout cela, des effilés de pommes de terre qui étaient mêlées à des truffes. Un lustre et des girandoles illuminaient l'appartement, tendu de damas rouge. Quatre domestiques en habit noir se tenaient derrière les fauteuils de maroquin. À ce spectacle, les convives se récrièrent, le précepteur surtout.
« – Notre amphitryon, ma parole, a fait de véritables

folies ! C'est trop beau !
« – Ça ? dit le vicomte de Cisy, allons donc ! »
Épater les écrivains par la splendeur d'un dîner constitue-t-il la marque d'une époque ? C'est certain, comme le note, mais cette fois-ci dans la réalité, le *Journal* des Goncourt racontant celui qu'offre la Barrucci, maîtresse d'Aurélien Scholl qui les conduit chez elle, tout en les prévenant : « Vous verrez, un luxe ; c'est dégoûtant ! » Et en effet : « Le dîner est somptueux, insolent. En dépliant les serviettes, la main s'accroche aux broderies superbes du chiffre et de la couronne de la maîtresse de maison, répétés dans les assiettes, et sur les verres, dont le verre disparaît sous la gravure. L'argenterie remplit le buffet ; de grands plats de majolique sont plaqués aux murs comme des boucliers. Sur la table, il y a la parade des corbeilles de fruits et des pièces truffées montées avec des arrêts. Cela commence avec la soupe à la tortue, avec de vrais morceaux de tortue, puis des truffes, des faisans montés, des asperges en branches, des buissons de monstrueuses écrevisses de la Meuse. Les vins, c'est le château-yquem, le cos-d'estournel, le château-margaux, les premiers crus du Rhin. Tout cela est accompagné de hors-d'œuvre qu'on passe. Il y a un grand luxe de tous ces excitants poivrés, piments, chauffés, chargés, du caviar, des olives farcies, des piments à l'italienne, de la mortadelle, luxe d'épices que vous retrouverez dans tout repas fait chez une fille et dont le goût va, chez ces femmes, de la Barrucci au bordel. »

On n'est pas loin, au fond, d'Émile Zola racontant, dans *La Curée* la rencontre d'Aristide Saccard et de son fils Maxime, tous deux en galante compagnie : « Quand Maxime fut sorti du collège, ils se rencontrèrent chez les mêmes dames et ils en rirent. Ils furent même un peu rivaux. Parfois, lorsque le jeune homme dînait à la Maison d'Or, avec quelque bande tapageuse, il entendait, tout près, la voix de Saccard, dans un cabinet voisin.
« – Tiens, papa est là à côté, s'écriait-il avec la grimace qu'il empruntait aux acteurs en vogue.
Il allait frapper à la porte du cabinet, curieux de voir la conquête de son père.
« – Ah ! C'est toi, disait celui-ci d'un ton réjoui. Entre donc. Vous faites un tapage à ne pas s'entendre.
« – Mais il y a Laure d'Aurigny, Sylvia l'Écrevisse puis deux autres encore, je crois. Elles sont étonnantes : elles mettent les doigts dans les plats et nous jettent des poignées de salade à la tête. J'ai mon habit plein d'huile.
« Le père riait, trouvait cela drôle... »

Edmond de Goncourt
Journal

« Nous allons souper à la Maison d'Or avec Flaubert, Bouilhet, Pouthier et d'Osmoy. »

Dîner

(c'est-à-dire déjeuner)

Huîtres de Marennes et d'Ostende
Croûte au pot
Bisque
Turbot sauce crevettes, garni d'éperlans frits
Culotte de bœuf au Madère
Filets de canard sauvage à la purée de gibier
Dinde truffée
Bécasse des Ardennes
Asperges en branches
Biscuit glacé
Fruits de saison

Souper

(c'est-à-dire dîner)

Huîtres
Consommé aux œufs pochés
Beurre, anchois, crevettes
Filets de sole à l'Anglaise
Côtelettes d'agneau aux pointes d'asperges
Poularde truffée
Salade de légumes
Glace au café
Compote de mandarines
Corbeille de fruits

Vol-au-vent financière

24 heures à l'avance, faites dégorger les crêtes, les rognons de coq et le ris de veau au frais dans de l'eau très froide.
Confectionnez la farce à quenelles : réduisez la chair de volaille en purée fine dans le bol d'un robot mixeur. Passez-la au tamis dans un cul-de-poule posé sur de la glace. Ajoutez le 1/2 blanc d'œuf, mélangez à la spatule et ajoutez petit à petit la crème fraîche. Salez et poivrez.
Portez de l'eau à ébullition dans une grande casserole. Baissez le feu afin qu'elle frémisse. Façonnez de petites quenelles à l'aide d'une cuillère à café, pochez-les pendant 8 minutes dans l'eau à peine frémissante. Égouttez-les et gardez-les à couvert.
Faites blanchir les crêtes de coq 2 minutes à l'eau bouillante. Égouttez-les et épluchez-les.
Préparez un blanc : délayez la farine avec un peu d'eau et quelques gouttes de jus de citron, salez et allongez de 1 litre d'eau. Faites cuire les crêtes de coq dans ce blanc pendant 35 à 40 minutes.
Faites blanchir les rognons de coq 2 minutes dans de l'eau bouillante salée, puis retirez leur peau.
Parez et lavez les champignons, faites-les cuire au beurre avec un peu de sel et quelques gouttes de jus de citron pour les garder bien blancs.
Faites blanchir le ris de veau 3 minutes à l'eau bouillante salée. Retirez la peau, taillez le ris en petites escalopes, farinez-les très légèrement. Salez-les, poivrez-les et poêlez-les au beurre jusqu'à ce qu'elles prennent une coloration blonde.
Faites réduire de moitié le bouillon de volaille. Ajoutez la crème, faites réduire de moitié, ajoutez le jus de truffe et montez légèrement au beurre (la sauce doit avoir une consistance nappante). Faites chauffer le vol-au-vent à four doux.
Versez la sauce dans un sautoir large de manière à ajouter toutes les garnitures : quenelles, crêtes, rognons, champignons et ris de veau ; faites chauffer doucement le tout. Garnissez la croûte de vol-au-vent au dernier moment et râpez la truffe au-dessus juste avant de servir.

Ingrédients

POUR 4 PERSONNES

1 croûte de vol-au-vent
de 20 cm de diamètre
(à commander chez votre
pâtissier)

Les quenelles de volaille
100 g de chair de volaille
1/2 blanc d'œuf
10 cl de crème fraîche
sel
poivre blanc du moulin

8 petites crêtes de coq
8 rognons de coq
200 g de ris de veau
1 cuillerée à soupe
de farine pour le blanc
le jus de 1/2 citron
200 g de petits
champignons de Paris
(champignons boutons)
50 g de beurre
50 cl de bouillon
de volaille
50 cl de crème liquide
50 g de jus de truffe
30 g de truffe
sel
poivre du moulin

Cailles rôties au laurier

Ingrédients

pour 4 personnes

4 grosses cailles
100 g de foies de volaille
100 g de foie gras frais
1 oignon
1 gousse d'ail
8 feuilles de laurier
4 fines tranches de barde de lard
1 cuillerée à soupe de cognac
sel
poivre du moulin

Préchauffez le four à 210 °C (th. 7).
Videz, flambez les cailles. Posez 1 feuille de laurier sur chaque poitrine ; salez, poivrez ; recouvrez les poitrines de caille des fines tranches de barde de lard gras, puis ficelez-les.
Ciselez finement l'oignon et la gousse d'ail. Faites sauter les foies de volaille dans un peu de beurre en les gardant rosés. Ajoutez le foie gras, l'oignon et l'ail. Flambez au cognac, débarrassez le tout dans le bol d'un robot et hachez, mais pas trop finement. Farcissez les cailles de ce mélange et faites-les rôtir de 12 à 15 minutes.
Ce plat peut être accompagné de pommes fondantes ou de champignons sautés.

TURBOT À LA DIEPPOISE

Préparez un fumet avec les arêtes de turbot : réunissez-les dans une marmite avec l'oignon, la carotte et le bouquet garni. Ajoutez le vin blanc sec, complétez avec de l'eau à hauteur des arêtes, salez, poivrez et faites cuire 20 minutes sur feu doux. Filtrez le fumet.
Préchauffez le four à 210 °C (th. 7).
Ciselez finement l'échalote, décortiquez les crevettes. Faites ouvrir les moules avec le vin blanc dans une casserole couverte sur feu vif, puis décoquillez-les en gardant le jus de cuisson. Parez et lavez les champignons, faites-les cuire quelques minutes dans 20 g de beurre sans coloration.
Beurrez une plaque à rebord. Répartissez-y l'échalote ciselée. Salez et poivrez les filets de turbot et disposez-les sur la plaque. Arrosez les filets de turbot du jus de cuisson des moules, complétez avec le fumet afin de mouiller au tiers de la hauteur des filets. Faites cuire 10 minutes au four, égouttez les filets puis réservez-les au chaud sur un plat de service.
Versez le jus de cuisson dans une casserole et faites-le réduire de moitié. Ajoutez la crème, faites encore réduire de moitié et rectifiez l'assaisonnement. Passez au chinois, ajoutez à la sauce les moules, les crevettes et les champignons. Faites chauffer doucement la sauce et nappez-en les filets de turbot.

Ingrédients

POUR 8 PERSONNES

Les filets de 1 turbot de 1,5 kg
1 échalote

Le fumet de turbot
la tête et les arêtes du turbot
1 oignon émincé
1 carotte
1 bouquet garni
25 cl de vin blanc sec
sel
poivre du moulin

La garniture dieppoise
40 g de crevettes grises cuites
1/2 l de moules grattées et lavées
10 cl de vin blanc
50 g de champignons de Paris
20 g de beurre
20 cl de crème fraîche
sel
poivre du moulin

En compagnie des Goncourt et de quelques autres

À partir du Second Empire, la personnalité de Flaubert se dédouble ; il y a, d'un côté, l'ermite de Croisset, et, d'un autre, l'écrivain à succès, fêté par les salons parisiens du monde et du demi-monde qui, malgré ses échecs théâtraux, ne manque pas d'effectuer la tournée de ce qu'on n'appelle pas encore « des grands ducs », comme il l'écrit à sa nièce : « Pour se donner du ton, Monsieur s'était coulé dans le cornet une douzaine d'huîtres, un bon beefsteak et une demie de chambertin, avec un verre d'eau-de-vie et une chartreuse. » N'a-t-il pas attendu, au fond, d'être célèbre, pour réaliser ce qu'il se promettait, jeune, dans une lettre à Ernest Chevalier : « se promener sur les boulevards, cigare au bec, et s'y faire voiturer », ou encore, « y déambuler, poitrine ouverte, pour s'arrêter boire dans les brasseries ou les cafés », conforme en ce sens, avec le tableau que brosse Alfred de Musset de ces mêmes boulevards, axe essentiel de la géographie hédoniste de Paris : « Le boulevard ne commence guère à remuer qu'à midi. C'est alors qu'arrivent les dandys ; ils entrent à Tortoni par la porte de derrière, attendu que le perron est envahi par les Barbares, c'est-à-dire les gens de la Bourse. Le monde dandy, rasé et coiffé, déjeune jusqu'à deux heures, à grand bruit, puis s'envole en bottes vernies ».

Installé d'abord boulevard du Temple, ensuite rue Murillo, enfin faubourg Saint-Honoré, Flaubert, qui avec Louis Bouilhet et le comte d'Osmoy, travaille à sa pièce *Le Château des cœurs*, est de tous les dîners, parmi lesquels ceux chez Théophile Gautier, dont les agapes ressemblent, selon les Goncourt, « à une table d'hôte du dernier caravansérail du romantisme et de la tour de Babel », chez Gavarni, chez Madame de Tourbey, chez les actrices Suzanne Lagier et Béatrix Pearson, chez la cantatrice Pauline Viardot, chez la romancière Amélie Bosquet, chez la comtesse de Grigneuseville, et même, avenue Frochot, chez la célèbre « Présidente » – dont les soupers du dimanche sont désormais illustres –, Apollonie Sabatier, égérie de Baudelaire, modèle de Clésinger pour sa *Femme nue mordue par un serpent* et maîtresse successive de Wallace et du banquier Mosselman, à qui il adresse parfois de très cavaliers billets doux, comme celui-ci : « Je mets la main à la plume pour vous écrire (entre nous ce n'est pas à la plume que je voudrais mettre la main). Je suis éreinté, éreintement qui ne résulte pas de la masturbation, comme vous pourriez le croire... Croyez à l'affection bien sincère de celui qui ne vous baise, hélas, que les mains. » Flaubert raconte-t-il à la table de sa belle hôtesse ce joli mot d'une courtisane qu'il aime répéter parce qu'elle le lui a confié personnellement ? « Tu as bien connu mon ventre autrefois ? Il était à la Souvaroff. Maintenant, c'est un accordéon. » Encore que sa présence est mentionnée aussi, avec nombre de personnalités parisiennes, au premier banquet hippophagique proposé au Tout-Paris par Isidore Geoffroy Saint-Hilaire, le 9 juillet 1866 au Grand Hôtel, pour suggérer aux habitants de la capitale d'inscrire à leur ordinaire la viande de cheval, naguère prescrite par l'usage. Au menu :

Vermicelle et bouillon de cheval
Saucisson et charcuterie de cheval
Ragoût de cheval
Cheval bouilli
Filet de cheval aux champignons
Pommes sautées à la graisse de cheval
Salade à l'huile de cheval
Gâteau au rhum et à la moelle de cheval

C'est que, dans chacune de ces manifestations, chacun savoure la verve du maître et échange avec lui nombre de propos, qu'il s'agisse d'Alexandre Dumas, d'Alfred de Musset, de Leconte de Lisle, d'Émile de Girardin, d'Ernest Renan, de Prosper Mérimée, d'Eugène Viollet-le-Duc, de François Coppée, de Gavarni, de Feydeau, d'Henri Monnier, de Paul de Saint-Victor, du marquis de

Chennevières, de Baudelaire, d'Aurélien Scholl et de tant d'autres constituant l'esprit même du Second Empire. Mais c'est chez les frères Goncourt (Edmond et Jules), dont la maison d'Auteuil est naturellement l'incontournable salle à manger parisienne de la seconde moitié du siècle, qu'on le voit le plus souvent, dès lors que s'établit cette relation privilégiée, parfois acide mais toujours sincère, entre ces deux frères partageant tout, de la plume à leurs maîtresses, grands spécialistes du XVIIIe siècle, mais aussi, comme le Normand, qui sont persuadés que le roman seul est la réalité. Le nombre de fois où Flaubert et les Goncourt partagent ainsi un repas est incalculable ; là est leur lieu d'échanges principal, le creuset de leur réflexion où, après boire (beaucoup) et manger (considérablement), ces célibataires endurcis, se définissant comme des « raconteurs du présent », se laissent aller, s'épanchent, se livrent, comparent leurs émois amoureux et leurs performances sexuelles, en un mot laissent librement leur personnalité profonde s'exhiber au grand jour. Et cela, à l'issue « d'un dîner des plus fins, des plus délicats, avec toutes les recherches européennes de la dernière heure et débutant par des tartelettes à la Agnès Sorel » (Edmond de Goncourt), lorsque sont servis, avec les inévitables cigares, les liqueurs, vieux marc, grande chartreuse ou autre.

Quand la cérémonie dînatoire ne se célèbre pas chez eux, c'est dans les restaurants de la capitale qu'ils aiment à se retrouver, malgré les réflexions aigres-douces des Goncourt – Edmond principalement – sur ces établissements, émaillant les pages de leur *Journal* de considérations d'avares comme celle-ci : « Chez Bignon, un jambon de vingt-cinq francs fait cent parts à deux francs ; c'est le commerce parisien », ou cette autre : « Le Café Anglais vend par an pour 80 000 francs de cigares. Le cuisinier a un traitement de 25 000 francs. Son maître est dans ses terres. Il a chevaux, voiture, il est membre du Conseil général. Voilà la grandeur des folies de Paris ». En voudrait-on une dernière ? « Je voyais, ce soir, chez Peters, le découpoir du maître d'hôtel faire deux cents tranches d'un cuisseau de veau. Deux cents tranches à six francs, ça fait 1 200 francs. Ne nous apitoyons pas sur le sort des restaurateurs. » La mauvaise humeur a, cependant, quelquefois d'autres raisons de se manifester : « Je ne mangerai plus dorénavant à la Taverne Anglaise. Il y a, au comptoir, une cinquantenaire exsangue, la figure émaciée par l'élaboration et la fatigue des additions, les cheveux tirés sur les tempes et relevés sur le sommet de la tête en une touffe ressemblant à la touffe de Chingacgook, et cette tête sauvagement sérieuse m'est désagréable, quand je prends ma nourriture. »

Plus savoureux sont cependant les détails de la salle qui ne leur échappent pas, comme celui-ci : « Baudelaire soupe à côté de nous, sans cravate, le col nu, la tête rasée, en vraie toilette de guillotiné », ou cet autre : « Au Café Riche, à côté de nous, dîne un vieillard, un habitué sans doute, car le garçon en habit noir vient lui énumérer longuement les mets ; et comme il lui demande ce qu'il désire, "Je désirerais, dit ce vieillard, je désirerais... avoir un désir. Donnez-moi la carte." Ce n'était pas un

vieillard ; c'était la vieillesse. » Et que dire de celui-ci, entendu à une autre table : « Tenez, regardez donc la tache de vin que vous avez là, disait le baron Alphonse de Rothschild au particulier bizarre qui s'appelle Lange, en lui montrant le plastron de sa chemise. Oui, mais c'est du château-lafite 1868, riposta, en baissant le regard, le matois confrère. On sait que les Rothschild possèdent le clos du château-lafite. » Reste que les deux frères sont parfois agacés par leurs amis, notant ainsi : « Décidément, il faut renoncer à donner de la soupe et un poulet truffé à des gens qui tiennent une plume. Ils sont insociables, même la bouche pleine. À peine est-on assis que voilà Flaubert et Saint-Victor qui se chamaillent à propos de Dupanloup. »

Des grands restaurants du Palais-Royal ou du boulevard à l'Exposition universelle de 1878, il n'y a qu'un pas, vite franchi par la bande de compères, aussi stupéfaits que les bourgeois, dont ils se moquent, par la visite des merveilles proposées au regard du public, que par les saveurs étranges venues d'ailleurs, comme le raconte encore Edmond de Goncourt : « Hier, chez Charpentier, les Japonais ont apporté de la cuisine fabriquée par eux, de petites tartelettes de poissons, des gelées blanches et vertes de poissons, et encore un mets dont ils semblent très friands, des petits rouleaux de riz dans une feuille aquatique grillée, quelque chose comme un morceau de boudin blanc dans une enveloppe de boudin noir. Ce n'est guère bon pour nos palais européens, mais l'on sent dans ces choses, une cuisine très civilisée, très travailleuse, du suc et de l'essence des aliments, dont les

produits donnent aux papilles un tas de petites sensations délicates, complexes et fugitives. »
La convivialité cependant oblige encore les amis à déserter les tables des grands restaurants pour se sustenter, parfois, les uns chez les autres, à l'invitation, un jour des Goncourt, un autre de Flaubert ou des Daudet, chacun étant soigneusement noté par Goncourt, nous livrant l'alchimie de ce qui est toujours une fôto : « Chez Daudet, gai et charmant dîner autour d'un plat de bouillabaisse et d'un pâté de grives de Corse. Tout le monde se sent, coude à coude, avec des sympathiques, et l'on mange mieux entre talents qui s'estiment. Flaubert pète et éclate dans des violences de paroles ; la satisfaction de Zola s'expansionne, Tourgueniev, qui a un commencement de goutte, est venu en pantoufles... » Quelques détails rehaussent, parfois de manière charmante, ces évocations, comme cette anecdote, toujours de Goncourt : « Le petit Daudet a des crises de larmes au sujet des chevreuils pendant à la porte des restaurants, s'inquiétant de ce que doivent dire leurs parents. Et aujourd'hui, sa mère, servant un rôti de perdreaux, est obligée de lui dire que, quand les animaux sont morts, ils n'ont plus de parents. Réponse qui le tranquillise et le décide à en manger. »
Mais la vie parisienne a aussi sa rançon : « Rentré chez moi, dimanche, à onze heures et demie, confie-t-il aux Goncourt, je me couche en me promettant de dormir profondément [puisqu'il est grand dormeur !] et je souffle ma bougie. Trois minutes après, éclats de trombone et battements de tambour ! C'était une noce chez Bonvalet.

Les fenêtres dudit gargotier étaient complètement ouvertes (vu la chaleur de la nuit), je n'ai pas perdu un quadrille ni un cri. À six heures du matin, re-maçons. À sept heures je déménage pour aller loger au Grand Hôtel – rien que ça ! À peine y étais-je qu'on se met à clouer une caisse dans l'appartement contigu. Bref, à neuf heures, j'en sors et je vais à l'hôtel du Helder, où je trouve un abject cabinet noir, comme un tombeau. Mais le calme du sépulcre n'y régnait pas : cris de messieurs les voyageurs, roulement des voitures dans la rue, trimbalage des seaux en fer-blanc dans la cour. De quatre à six heures, après avoir tâché de dormir chez Du Camp, j'avais compté sans d'autres maçons qui édifient un mur contre son jardin. À six heures, je me transporte dans un bain, rue Saint-Lazare. Là, jeux d'enfants dans la cour et piano. À huit heures, je reviens rue du Helder, où mon domestique avait étalé sur mon lit tout ce qu'il fallait pour aller, le soir, au bal des Tuileries. Mais je n'avais pas dîné et, pensant que la faim peut-être m'affaiblissait les nerfs, je vais au café de l'Opéra. À peine y étais-je entré qu'un monsieur dégueule à côté de moi. »

C'est dit, Flaubert, qui ne conçoit le séjour parisien que par intermittence, parce qu'au fond, selon sa propre expression, la grande ville « n'est pas un pays de cocagne », mais « une grande prostituée, paradis des femmes et enfer des chevaux », rentre à Croisset où non seulement il peut travailler au calme – c'est son côté « reclus de l'art » – mais encore retrouver à son dîner, et avec émotion, « la soupière d'argent et le vieux saucier » familiaux. Cela ne l'empêche pas de se plaindre très vite des

« repas en tête avec moi-même », dans une de ces habituelles contradictions dont il est coutumier. Ce n'est donc que par intermittence qu'il voit ses maîtresses ou amies platoniques, Madame Pradier, Suzanne Lagien, Jeanne de Tourbay, Léonie Brainne ou Apollonie Sabatier et, naturellement, les pensionnaires des maisons closes. Il en va de même de ses amis masculins qu'il invite cependant à déjeuner, le dimanche, à Croisset, les Goncourt, Théophile Gautier, Ernest Renan, Émile Zola, Hippolyte Taine, Sainte-Beuve, le docteur Robin. Car, comme il le constate – « Je me suis conduit comme un sot en allant, comme les autres, habiter Paris, en voulant publier. J'ai vécu dans une sérénité d'art parfaite tant que j'ai écrit pour moi seul. Maintenant, je suis plein de trouble et j'éprouve une chose nouvelle : écrire m'embête ! Je sens contre la littérature, la haine de l'impuissance » – la solitude lui pèse. N'a-t-il pas refermé sur lui le piège de son idéal monastique ? Une nouvelle fois, c'est à un véritable combat que se livrent en lui la recherche de l'art et sa soif de vie. Repas d'écrivains ; repas d'hommes d'esprits, certes, mais dans lesquels on se demande dans quelle catégorie Goncourt le place, lui qui fut naguère l'auteur d'un mot célèbre, « Le peuple déjeune, la bourgeoisie dîne, la noblesse soupait. L'estomac se lève plus ou moins tard chez l'homme, selon sa distinction ».

PIGEON RÔTI À LA BROCHE, PETITS POIS À LA FRANÇAISE

Préchauffez le four à 240 °C (th. 8).
Écossez les petits pois. Épluchez les oignons nouveaux et émincez-les finement. Coupez la poitrine fumée en lardons.
Faites cuire les petits pois à l'anglaise, c'est-à-dire dans une eau très salée (30 g par litre) à forte ébullition. Goûtez pour vérifier la cuisson (environ 5 à 7 minutes).
Pendant ce temps, badigeonnez les pigeons d'huile d'arachide. Salez-les et poivrez-les, puis faites-les cuire à la broche 12 minutes. Si vous n'avez pas de broche, faites-les rôtir dans un plat et retournez-les plusieurs fois au cours de la cuisson. Laissez-les reposer le temps de finir la préparation des petits pois.
Faites suer sur feu doux, au beurre, les oignons nouveaux et les lardons dans un sautoir. Lorsque les oignons sont bien fondus, ajoutez les petits pois, rectifiez l'assaisonnement et servez avec les pigeons rôtis.

Le pigeon doit se servir rosé et les petits pois doivent être extra-tendres : pour obtenir ce résultat, faites ce plat de préférence au printemps.

Ingrédients

POUR **4** PERSONNES

4 pigeons vidés et bridés
5 cl d'huile d'arachide
1 kg de petits pois frais
6 oignons nouveaux
100 g de beurre
200 g de poitrine fumée
gros sel
sel
poivre du moulin

Rognon d'agneau aux mousquetaires

Ingrédients

POUR 4 PERSONNES

10 rognons d'agneau
4 ou 5 belles tranches de pain de mie rassis
1 bouquet de persil plat
le jus de 1 citron
2 échalotes
2 gousses d'ail
sel
poivre du moulin

Pour obtenir la chapelure de pain de mie, ôtez la croûte des tranches de pain et passez-les au mixeur. Vous devez en obtenir 200 g ; ajoutez du pain si nécessaire.
Ôtez la graisse des rognons, fendez-les en deux et éliminez les nerfs centraux. Piquez-les sur des brochettes de bois ; salez et poivrez.
Hachez finement les échalotes, écrasez les gousses d'ail, hachez le persil.
Faites suer au beurre les échalotes et l'ail jusqu'à ce que les échalotes soient tendres. Ajoutez le jus de citron, le persil et la chapelure. Réservez ce mélange.
Dans une poêle antiadhésive, poêlez vivement les brochettes de façon à bien les saisir sur chaque face sans les cuire entièrement. Dressez-les sur un plat de service allant au four. À l'aide d'une cuillère, recouvrez-les du mélange beurre-chapelure et faites gratiner rapidement sous le gril du four.

POMMES MERINGUÉES

Préchauffez le four à 150 °C (th. 5).
Pelez les pommes, épépinez-les, évidez-les et disposez-les sur un plat en terre. Ajoutez le beurre en noisettes, le sucre et la vanille fendue et grattée. Faites cuire au four pendant 15 minutes en arrosant les pommes régulièrement. Laissez refroidir.
Portez la température du four à 240 °C (th. 8)
À l'aide d'un batteur électrique, montez les blancs en neige en y ajoutant petit à petit 200 g de sucre semoule.
Quand ils ont doublé de volume, ajoutez le reste de sucre.
Continuez de battre jusqu'à ce que la meringue devienne très ferme et très lisse.
Enveloppez les pommes de cette meringue à l'aide d'une spatule et terminez la cuisson 3 à 4 minutes à four chaud.
Saupoudrez de sucre glace avant de servir.

Ingrédients

POUR **4** PERSONNES

4 belles pommes
50 g de beurre
1 gousse de vanille

La meringue
4 blancs d'œufs
300 g de sucre semoule
sucre glace pour le service

Avec deux amis, George Sand et Ivan Tourgueniev

Si Louise Colet ne met jamais – malgré les cris, les plaintes et bientôt les insultes ! – les pieds à Croisset, il n'en est pas de même de George Sand qui, la maturité venue, devient le meilleur ami – et non pas « amie » ! – de Flaubert, sans doute parce qu'il n'y a rien, entre eux, qu'une immense complicité affective et intellectuelle, qui va croissant jusqu'à leur fin, dans ce destin commun les poussant, l'un et l'autre, à s'épuiser dans la finalisation de leur œuvre littéraire. « Comme c'est triste de ne pas vivre ensemble, chère Maître, lui écrit-il, je vous admirais tant avant de vous connaître. Du jour que j'ai vu votre belle et profonde mine, je vous ai aimée ». « Je me demande, moi aussi, pourquoi je vous aime. Est-ce parce que vous êtes un grand homme ou un être charmant ? Je n'en sais rien. Ce qui est sûr, c'est que j'éprouve pour vous un

sentiment particulier et que je ne peux définir. »
Cette camaraderie, qui finit par le tutoiement – « Je t'aime beaucoup, mon cher Vieux, tu le sais. L'idéal serait de vivre de longues années avec un bon et grand cœur comme toi », lui répond-elle –, participe aussi de leur formidable goût pour la vie et les bonnes choses qu'elle apporte, en particulier la gastronomie dont, sans excès toutefois, George Sand est une spécialiste. Ainsi la reçoit-il à Croisset, tandis qu'elle l'accueille à Nohant. Et tous deux, après un bon dîner, de « se rôtir les guiboles en se racontant leurs peines de cœur au coin du feu ». C'est ainsi qu'il fête chez elle, au lendemain de ses quarante-huit ans, Noël et le Nouvel An, apportant des jouets pour ses petits-enfants, réveillonnant « splendidement », dansant autour de l'arbre décoré. Quand ils ne s'écrivent pas d'interminables lettres, ils se retrouvent encore à Paris, le plus souvent dans les restaurants du Palais-Royal, comme ce 3 mai 1878 où rendez-vous est pris chez Magny.
« J'y suis à l'heure dite, écrit George Sand à son fils. Arrive aussitôt Tourgueniev. Nous attendons un quart d'heure. Arrive Goncourt, tout effaré : "Nous ne dînons pas ici. Flaubert vous attend aux Frères Provençaux. Pourquoi ? Il dit qu'il étouffe ici, que les cabinets sont trop petits, qu'il a passé la nuit, qu'il est fatigué. Mais moi aussi, je suis fatiguée. Grondez-le, c'est un gros malappris mais venez." Finalement, c'est au restaurant Véfour que le petit groupe retrouve Flaubert, accroupi sur un canapé. Je le traite de cochon. Il demande pardon, se met à genoux, les autres se tiennent les côtes de rire. Enfin on dîne mal, d'une

cuisine que je déteste, dans un cabinet beaucoup plus petit que ceux de Magny. » Effondré, à l'enterrement de George, Flaubert ne peut retenir ses larmes, avant de confier au fils de la défunte qu'il lui semble avoir enterré sa mère une seconde fois. Depuis, la table de Nohant conserve le carton « Gustave Flaubert » devant son assiette.

Mais, en sus de George Sand, de tous les amis avec qui Flaubert partage la pratique de la littérature, la convivialité et la gastronomie, le Russe Ivan Sergueïevitch Tourgueniev est, sans doute, celui dont il est le plus complice, peut-être parce que ce gentilhomme à demi exilé, en raison de son hostilité au régime de Saint-Pétersbourg et de son amour pour la cantatrice Pauline Viardot, s'impose dans la société comme le convive idéal, charmeur, attentif et cultivé, que chacun souhaite avoir à sa table. « Il y a peu d'hommes dont la compagnie soit meilleure et l'esprit plus séduisant », écrit de lui Flaubert à la princesse Mathilde, avis partagé par les Goncourt, ce qui ne les empêche pas de noter que « Tourgueniev est un cochon, mais teinté de sentimentalisme ».

Ainsi, très vite, l'immortel auteur de *Fumée*, des *Récits d'un chasseur* ou de *Premier amour*, si admirés de l'école naturaliste, s'agrège-t-il au petit groupe d'amis qui, régulièrement, se retrouve pour d'interminables agapes où ce colosse sentimental raconte longuement cette Russie qui, depuis Balzac ou Custine, a tant fait vibrer les romantiques. « Il y a à dîner chez Flaubert aujourd'hui, témoigne Edmond de Goncourt, Théo, Tourgueniev et moi. Tourgueniev, le doux géant, l'aimable barbare, avec

ses blancs cheveux lui tombant dans les yeux, le pli profond qui creuse son front d'une tempe à l'autre, pareil à un sillon de charrue, avec son parler enfantin, dès la soupe, nous charme, nous enguirlande suivant l'expression russe, par ce mélange de naïveté et de finesse – la séduction de la race slave – relevée chez lui par l'originalité d'un esprit supérieur, par un savoir immense et cosmopolite. » Ou encore, du même : « Chez Véfour, dans le salon de la Renaissance, où j'ai abouché Sainte-Beuve avec Lagier, je dîne ce soir avec Tourgueniev, Flaubert et Madame Sand. Madame Sand est momifiée de plus en plus, mais toute pleine de son enfance et la gaîté d'une vieille femme du siècle dernier. Tourgueniev parle et on le laisse parler, le géant à la douce voix, aux récits attendris de petites touches émues et délicates. »
L'écrivain raconte-t-il certaines histoires de repas dont, comme ses amis, il aime ponctuer ses récits, à l'instar du diacre « ayant fait le pari d'avaler trente-trois harengs » (*Fumée*), même si Madame Litvinof « ne permettait pas qu'on mangeât gloutonnement à sa table » ? On ne sait, mais cette ambiance conviviale revient souvent sous sa plume, avec l'évocation de « dîners qui durent longtemps », dans lequel l'hôte « ne ménageait pas ses vins », avec pour conséquence que « peu à peu, nos têtes s'échauffèrent et peu à peu chacun de nous se mit à rire et à parler ouvertement de ce qu'il gardait en secret dans sa pensée » (Jacques Passinkof), scène qui revient dans *Andrei Kolosov* : « Un beau soir, en rentrant à la maison, je trouvai avec un attendrissement inexprimable, mon gouverneur assis en compagnie de trois ou quatre bons vivants autour d'une table ronde sur laquelle se trouvait

un nombre respectable de bouteilles vides et de verres à moitié pleins. » Ah, l'odeur des beignets de carnaval de la même nouvelle, dont la saveur n'a d'égale que la beauté de Sophie ! Qu'importe donc si, dans *Premier amour*, « le souper ne se composait que d'un bout de fromage complètement desséché et de friands froids » puisqu'ils sont offerts par la sublime Zinaïda. « Je le trouvai plus délicieux que tous les pâtés du monde ! »

« Hier Tourgueniev nous donnait, à Zola, à Daudet et à moi, un dîner d'adieu avant son départ pour la Russie... Il se met à parler de la vie qu'il va mener dans six semaines, de son habitation, de la soupe à la poule, l'unique plat que sait faire son cuisinier et des conférences qu'il a, sur un petit balcon presque au ras de terre, avec les paysans ses voisins », raconte ainsi Edmond de Goncourt, toujours séduit, avant d'ajouter dans une autre page : « Un véritable homme de lettres que notre vieux Tourgueniev. On vient de lui enlever un kyste dans le ventre et il disait à Daudet, qui est allé le voir ces jours-ci : pendant l'opération, je pensais à nos dîners et je cherchais les mots avec lesquels je pourrai vous donner l'impression juste de l'acier entamant ma peau et entrant dans ma chair... ainsi qu'un couteau qui couperait une banane. »

Brochet à la Créqui

Ingrédients

POUR 4 PERSONNES

4 tronçons de brochet de 180 g chacun
2 bouquets de persil plat
200 g de beurre
le jus de 2 citrons
gros sel
sel fin
poivre du moulin

Salez et poivrez les portions de brochet sur toutes leurs faces. Faites-les cuire à la vapeur. Gardez-les au chaud.
Effeuillez, lavez et essorez le persil plat. Faites-le blanchir 5 minutes à l'eau bouillante salée puis rafraîchissez-le dans de l'eau glacée. Égouttez-le en le pressant entre vos mains pour enlever l'excédent d'eau, puis passez-le au mixeur afin d'obtenir une purée bien lisse. Versez cette purée dans une petite casserole pour la réchauffer au dernier moment.
Préparez le beurre battu : faites chauffer sur feu vif le jus des 2 citrons, puis ajoutez le beurre en petits morceaux et fouettez vivement pour monter la sauce. Rectifiez l'assaisonnement.
Versez la purée de persil chaude sur le fond du plat, déposez-y les tronçons de brochet et nappez légèrement le tout de beurre battu.

Pommes de terre farcies aux châtaignes

Lavez et épluchez les pommes de terre, fendez-les dans le sens de la longueur par le milieu, et creusez-les avec une cuillère à café afin de retirer le maximum de pulpe, sans les percer.
Faites chauffer le beurre dans une cocotte jusqu'à ce qu'il soit mousseux. Ajoutez les pommes de terre et faites-les dorer très légèrement. Débarrassez-les et réservez-les à part.
Préchauffez le four à 180 °C (th. 6).
Réunissez l'échine de porc coupée en gros dés, le lard gras et la poitrine fumée dans un hachoir (grille moyenne) ou dans le bol d'un robot ; hachez-les. Ajoutez le sel, le poivre et les châtaignes émiettées. Mélangez soigneusement afin d'obtenir une farce bien homogène et garnissez-en les pommes de terre. Déposez les pommes de terre dans la cocotte puis ajoutez l'ail écrasé, le thym et le bouillon de poule. Faites cuire au four pendant 45 minutes environ, selon la grosseur des pommes de terre, en prenant soin de les arroser de temps en temps.
Dégustez seul ou en garniture d'une viande de cochon.

Ingrédients

POUR 4 PERSONNES

6 grosses pommes de terre charlottes
100 g de beurre
350 g d'échine de porc désossée
100 g de lard gras
20 g de poitrine fumée
1 cuillerée à café de sel
1 cuillerée à café de poivre du moulin
100 g de châtaignes cuites
3 gousses d'ail
2 branches de thym
10 cl de bouillon de poule

Morilles cuisinées en casserole et jaune d'œuf

Ingrédients

POUR 4 PERSONNES

600 g de morilles fraîches
100 g de beurre
2 échalotes
10 cl de jus de rôti
20 cl de crème liquide
1/2 bouquet de cerfeuil
4 jaunes d'œufs extra-frais
sel
poivre du moulin

Épluchez les morilles, fendez-les, lavez-les dans plusieurs eaux en veillant à bien éliminer le sable contenu dans les alvéoles. Égouttez soigneusement.
Dans une casserole, faites fondre la moitié du beurre jusqu'à ce qu'il soit mousseux. Jetez-y les morilles et laissez les cuire jusqu'à ce qu'elles rendent leur eau de végétation. Égouttez-les et faites réduire l'eau de moitié.
Ciselez finement les échalotes.
Dans une casserole, réunissez le reste de beurre et les morilles, ajoutez les échalotes ciselées et faites suer quelques instants.
Mouillez avec l'eau de végétation réduite, faites réduire de moitié, ajoutez le jus de rôti et la crème liquide. Laissez cuire de 10 à 15 minutes sur feu doux selon la grosseur des morilles. Rectifiez l'assaisonnement.
Servez dans des assiettes creuses, garnissez de pluches de cerfeuil et ajoutez sur chaque assiette un jaune d'œuf cru.

Millefeuille de saumon fumé au raifort

Ingrédients

POUR 4 PERSONNES

1 planche de saumon fumé
1 bouquet d'aneth
50 g de raifort râpé
250 g de crème fraîche épaisse
sel
poivre du moulin

Tranchez le saumon fumé en bandes d'environ 10 cm de longueur. Hachez l'aneth. Mélangez le raifort et l'aneth à la crème épaisse. Salez modérément, poivrez.

Posez une bande de saumon fumé bien à plat, étalez-y régulièrement la crème. Recommencez six fois l'opération en superposant les couches de manière à obtenir un beau millefeuille.

Réservez-le au moins 2 heures au réfrigérateur pour solidifier la crème, puis taillez-le en tranches verticales. Disposez ces tranches sur les assiettes et servez avec des blinis chauds ou du pain grillé.

Filet de bœuf Strogonoff

Coupez la viande en dés de 3 cm de côté. Épluchez et ciselez les oignons. Mondez la tomate après l'avoir ébouillantée, puis épépinez-la et taillez-la en petits dés.
Assaisonnez les morceaux de viande de sel et de paprika. Dans une sauteuse, faites bien chauffer l'huile et saisissez-y vivement la viande pour la colorer, en veillant bien à la garder saignante. Ajoutez le beurre puis débarrassez le tout sur un plat.
Dans la sauteuse, faites suer les oignons ciselés jusqu'à ce qu'ils soient tendres, puis déglacez avec le vin blanc, faites réduire de moitié et ajoutez la tomate en petits dés. Mouillez avec le fond de veau et la crème, laissez cuire quelques minutes et ajoutez la viande pour la réchauffer dans la sauce.
Servez avec un riz pilaf ou des pommes de terre sautées.

Ingrédients

POUR 4 PERSONNES

600 g de filet de bœuf
2 petits oignons
3 cl d'huile d'arachide
80 g de beurre
20 g de paprika
10 cl de vin blanc
20 cl de crème liquide
25 cl de fond de veau
1 tomate mûre
sel fin

Goujonnettes de volaille sauce tartare

Préparez la sauce tartare : ciselez finement la ciboulette et l'oignon. Passez les jaunes d'œufs durs au tamis, ajoutez la moutarde et le vinaigre, salez, poivrez et montez le tout comme une mayonnaise en fouettant et en ajoutant l'huile en filet jusqu'à obtention de la consistance désirée. Ajoutez les oignons et la ciboulette ciselée. Rectifiez l'assaisonnement.
Faites chauffer l'huile de friture à 170 °C.
Débarrassez les tranches de pain de mie de leur croûte et passez-les au mixeur afin d'obtenir une chapelure fine et régulière.
Battez les œufs en omelette.
Taillez les suprêmes de volaille en bâtonnets de taille égale, passez-les dans la farine en les roulant entre vos mains pour leur donner une forme arrondie, puis trempez-les dans les œufs battus et passez-les enfin dans la chapelure.
Faites-les frire dans l'huile jusqu'à ce qu'elles soient bien dorées, égouttez-les, puis salez-les et poivrez-les.
Dressez les goujonnettes sur une serviette et servez-les avec la sauce tartare.

Ingrédients

POUR **4** PERSONNES

4 suprêmes de volaille jaune
250 g de pain de mie rassis
4 œufs
200 g de farine
1 litre d'huile pour friture
sel
poivre du moulin

La sauce tartare
1 bouquet de ciboulette
20 g d'oignon
8 jaunes d'œufs durs
3 cuillerées à soupe de moutarde
2 cuillerées à soupe de vinaigre
10 cl d'huile d'arachide
sel
poivre du moulin

Flaubert confident de la princesse Mathilde

Enfin reconnu écrivain à part entière, malgré le procès de *Madame Bovary* et le semi-échec de *Salammbô*, Gustave Flaubert pénètre les plus hautes sphères du Second Empire, à commencer par le salon de la cousine germaine de l'Empereur, Mathilde, fille de l'ancien roi Jérôme (benjamin des frères de Napoléon) et épouse (séparée) du prince Anatole Demidoff, chez qui il est régulièrement invité avec les comparses habituels de sa société, Edmond et Jules de Goncourt, Théophile Gautier, Sainte-Beuve, Alfred de Musset (qui s'y enivre plus que de raison), Hippolyte Taine, Alexandre Dumas fils, Guy de Maupassant, Gavarni et bien d'autres, participant à ce que le Palais des Tuileries appelle, non sans quelque jalousie, « les dîners de bêtes », dans une salle à manger qu'a

immortalisée (avec son salon), le peintre Charles Giraud. Parfois y figure son frère, Jérôme-Napoléon, le sombre « Plonplon » – contestataire du régime impérial – dont sa sœur dit : « Il n'a pas de passions, il n'a que des appétits et il a un mauvais estomac. »
Dans cette société assez libre, tant sur le plan des mœurs que sur celui des idées politiques, celle qu'on appelle alors « Notre-Dame des Arts », en compagnie de son amant en titre le comte de Nieuwerkerke, à l'époque patron des Beaux-Arts, cultive l'amitié par l'esprit et la gastronomie, selon les préceptes de son amie Madame Alberi qui, un jour, lui glisse, selon le témoignage des Goncourt : « Vois-tu, ma fille, à la maison, dans les plats il faut qu'il y ait de quoi en manger trois fois pour chacun ». Exigeante, jalouse, possessive, la princesse, recevant d'abord le lundi, puis le mardi et encore le mercredi, aime, au sens platonique, ses merveilleux convives, mais cultive une amitié presque amoureuse d'abord avec Sainte-Beuve puis, après leur brouille, avec Flaubert, ce qui n'échappe pas à la vigilance d'Edmond de Goncourt, notant : « J'étudie chez la princesse le curieux travail de Flaubert pour attirer l'attention de la maîtresse de maison, se faire voir, se faire parler, et cela par l'obsession des regards, des mimes, des poses. » Et cela marche, comme le note, quelque temps plus tard, l'envieux chroniqueur : « La princesse nous reçoit ce soir du haut de tout son froid. Elle n'a d'yeux, de place, à côté d'elle, d'attention et d'intérêt, que pour Flaubert. »

Autour d'une table somptueuse – dans laquelle cependant on évite de servir du pigeon, que Mathilde déteste – fusent les bons mots, mais aussi les passions, comme l'analysent encore les Goncourt : « Il se dégage de Flaubert tant de nervosité, tant de violence batailleuse que les milieux dans lesquels il se trouve deviennent bientôt orageux, qu'une certaine agressivité gagne chacun. C'est ce qui est arrivé ce soir. Je voyais, devant l'exagération fausse et la gasconnade de ses paroles, le bon sens bourgeois se monter, se monter, se monter. Cela a fini comme un coup de tonnerre sur la tête de Popelin, à l'occasion d'une innocente contradiction. Et dans le petit salon, j'ai entendu la princesse terminer sa péroraison indignée par cette phrase : "Vous êtes tous de grands enfants, des fous" et puis tout bas et modulé comme une phrase musicale : "... et de foutus cochons". Ceci n'empêche pas la princesse de faire obtenir à son confident privilégié d'abord la croix de chevalier de la Légion d'honneur, puis une invitation aux fameuses « séries » de Compiègne où, à la stupéfaction des bourgeois de Rouen, l'écrivain dîne à la table de l'Empereur.

Ainsi, ne croit-on pas retrouver l'esprit de ces dîners, même si les Goncourt affirment – faut-il les croire toujours ? – que « la chère y est médiocre », chez ceux de Madame Dambreuse, dans *L'Éducation sentimentale* : « Sous les feuilles vertes d'un ananas, au milieu de la nappe, une dorade s'allongeait, le museau tendu vers un quartier de chevreuil et, touchant de sa

queue, un buisson d'écrevisses. Des figues, des cerises énormes, des poires et des raisins (primeurs de la culture parisienne) montaient en pyramides dans des corbeilles de vieux saxe, une touffe de fleurs, par intervalles, se mêlait aux claires argenteries : les stores de soie blanche, abaissés devant les fenêtres, emplissaient l'appartement d'une lumière douce ; il était rafraîchi par deux fontaines où il y avait des morceaux de glace ; et de grands domestiques, en culotte courte, servaient. »

Dans le château de la princesse, à Saint-Gratien, le rituel est encore plus précis. Mathilde descend de son appartement à onze heures et tend sa main à baiser aux convives. On déjeune puis on se réunit dans la véranda, ce qui constitue un grand moment de causerie. « Vers une heure, elle se réfugie dans son atelier de peinture et y travaille jusqu'à cinq heures. » Ensuite, on se promène dans le parc ou sur le lac. Et puis on dîne et on refait de l'esprit. Flaubert est le plus empressé auprès de la nièce de Napoléon, avec qui il correspond encore puisque, lorsque les convives de Mathilde ne la visitent pas, ils lui écrivent ou échangent avec elle de petits cadeaux, tels les Goncourt lui adressant cette missive : « En nous promenant dans les rues du Havre, écrivent-ils à leur amie, nous avons été séduits par des confitures sauvages. Nous prenons la liberté de vous en envoyer une caisse qui commence par l'ananas et qui finit par l'oseille de Guinée, un bien drôle de fruit d'après le nom. » Sept ans après la mort de Flaubert, les dîners se poursuivent et son souvenir y est régulièrement évoqué, bien que parfois Mathilde fasse entorse à ses habitudes, en allant se sustenter chez les Goncourt, notant, non sans malice : « La princesse est venue déjeuner chez nous, avec Mme de Galbois, Mme de Girardin, Mlle Abbatucci, les Zeller, Popelin. Ça a été très gai, amical et bon enfant, la princesse découpant, Popelin cassant les fils de fer du champagne, les demoiselles faisant le service des assiettes. La petite cour s'est amusée, heureuse d'échapper un moment à la vaisselle plate, aux domestiques à mollets, à l'architecture des plats et à la mauvaise cuisine des grands cuisiniers. »

(Page de droite)

Menu d'un dîner offert par la princesse Mathilde, dans lequel sont associés les noms des familiers de sa petite cour.

Dîner chez la princesse Mathilde

Potage à la purée de Galbois

Filet de bœuf Desmaye

Abbatucci de poulet rôti

Asperges

Fromage Chauchas

Baba Giraud

le 20 mai 1876

SUPRÊME DE FAISANE PIQUÉ AUX TRUFFES

Ingrédients

POUR **4** PERSONNES

Les suprêmes de faisane
2 poules faisanes avec leurs foies
30 g de truffe fraîche
30 g de beurre

Le jus de faisane
les carcasses et les abattis des faisanes
2 échalotes
3 gousses d'ail
1 bouquet garni
sel
poivre du moulin

Les caillettes de faisane
les foies des faisanes (50 g environ)
1 échalote
60 g de beurre
20 g de truffe écrasée
1 cuisse de faisane
70 g de foie gras frais
100 g de feuilles de blette
1 crépine de porc
gros sel
sel fin
poivre du moulin

Taillez la truffe en bâtonnets.
Levez les filets des deux faisanes en gardant la peau. Piquez-les de bâtonnets de truffe et réservez-les au frais. Levez les cuisses des faisanes et réservez-en une (gardez les autres pour une recette ultérieure).
Confectionnez un jus de faisane : concassez les carcasses et les abattis des faisanes. Émincez les échalotes, écrasez l'ail. Faites colorer les carcasses et les abattis au beurre. Quand ils ont pris couleur, ajoutez les échalotes et l'ail. Faites bien dorer sur feu moyen, ajoutez le bouquet garni, dégraissez légèrement et couvrez d'eau à peine à hauteur. Faites réduire de moitié sur feu doux, sans couvrir. Rectifiez l'assaisonnement.
Préparez les caillettes de faisane : taillez les foies de faisane en dés. Ciselez l'échalote et faites-la suer dans 20 g de beurre. Ajoutez les foies et la truffe écrasée, laissez refroidir. Dans un petit sautoir, dans 20 g de beurre, faites sauter une cuisse de faisane jusqu'à ce qu'elle soit bien cuite ; laissez-la refroidir, désossez-la puis taillez la chair en dés (environ 100 g). Taillez de même le foie gras en dés.
Ne déchirez pas les feuilles de blettes, gardez-les entières. Faites-les blanchir 2 minutes à l'eau bouillante salée et rafraîchissez-les immédiatement sous l'eau froide courante pour les garder bien vertes.
Préchauffez le four à 210 °C (th. 7).
Dans un cul-de-poule, réunissez les foies de faisane, les dés de cuisse, le foie gras en dés et 1 cuillerée à soupe de jus de faisane. Mélangez bien, salez et poivrez de haut goût.
Étalez une feuille de blette, déposez 1 cuillerée à soupe de farce au centre, refermez-la en paquet, enveloppez-la de crépine.

(suite page 192)

Ingrédients

Les millefeuilles de blettes
2 pieds de blettes
100 g de farine
le jus de 1 citron
100 g de moelle décortiquée et taillée en dés
un peu de gras de jambon sec en copeaux
sel
poivre du moulin

Procédez de même avec le reste de la farce et du vert de blette. Poêlez les crépines quelques instants dans 20 g de beurre, puis faites-les cuire 7 minutes au four et déglacez en fin de cuisson avec un peu de jus de faisane.

Préparez les millefeuilles de blettes : gardez les côtes de blettes entières. Préparez un blanc : délayez la farine dans 1 litre d'eau. Ajoutez le jus de citron et faites cuire les côtes de blette dans ce blanc jusqu'à ce qu'elles soient tendres. Égouttez-les soigneusement puis poêlez-les de 10 à 15 minutes avec la moelle et les copeaux de gras de jambon.

Montez-les en millefeuille, c'est-à-dire superposez les côtes de blettes en piles serrées et taillez-les en rectangles réguliers de 2 cm x 6 cm. Disposez les millefeuilles dans un plat, badigeonnez-les de jus de faisane et passez-les au four jusqu'à ce qu'ils prennent un aspect glacé.

Poêlez les suprêmes de faisane au beurre dans un sautoir afin qu'ils soient bien saisis, et terminez la cuisson 5 minutes à four moyen. En fin de cuisson, déglacez le sautoir avec le reste de jus de faisane, faites réduire à bonne consistance et rectifiez l'assaisonnement.

Servez les suprêmes accompagnés des caillettes et des millefeuilles de blettes. Nappez du jus de faisane réduit.

Salsifis sauce poulette

Grattez et parez les salsifis en les jetant au fur et à mesure dans de l'eau additionnée du jus de 1 citron. Tronçonnez-les en morceaux de 4 à 5 cm de longueur.
Délayez la farine dans 1 litre d'eau froide. Ajoutez le jus de 1 citron, portez à ébullition, salez. Ajoutez les salsifis et faites-les cuire fondants en testant la cuisson avec la pointe d'un couteau. Égouttez-les.
Faites chauffer 40 g de beurre dans une sauteuse et faites-y étuver les salsifis 5 minutes environ sur feu doux. Ajoutez enfin le persil haché. Rectifiez l'assaisonnement. Réservez au chaud.
Confectionnez la sauce poulette : faites réduire le bouillon de poule de moitié, ajoutez la crème, portez à ébullition. Préparez une liaison en ajoutant un peu de sauce aux jaunes d'œufs battus, mélangez bien et ajoutez le tout au reste de sauce sans faire bouillir. Montez la sauce avec le reste de beurre.
Répartissez les salsifis dans 4 assiettes et entourez-les de la sauce.

Ingrédients

POUR **4** PERSONNES

1 kg de salsifis
le jus de 2 citrons
100 g de farine
140 g de beurre
1 l de bouillon de poule
10 cl de crème fraîche
2 jaunes d'œufs
1/2 bouquet de persil plat
gros sel
sel fin
poivre du moulin

Soupe de cerises

Dénoyautez les cerises et faites-les suer au beurre pendant 2 à 3 minutes. Déglacez au kirsch, ajoutez le sucre semoule et mouillez avec 50 cl d'eau. Faites cuire 7 minutes sur feu doux.
Égouttez les deux tiers des cerises et réservez-les au frais.
Mixez le reste des cerises avec le jus de cuisson, passez au chinois étamine. Réfrigérez bien la soupe et ajoutez les cerises entières réservées juste avant de servir.
Servez avec une tranche de brioche fraîche juste toastée.

Ingrédients

POUR **4** PERSONNES

1 kg de cerises burlat
30 g de beurre
2 cl de kirsch
150 g de sucre
4 tranches de brioche

En toute complicité avec Maupassant

S'il n'est jamais devenu père – excepté cet enfant mort-né que mit au monde Louise Colet – Flaubert, assurément, s'est trouvé un fils spirituel avec Guy de Maupassant, né à Dieppe en 1850, si proche de lui, déjà, par le fait que sa mère, Laure Le Poittevin, n'était autre que la sœur d'un de ses meilleurs amis, si proche surtout par la même dualité qui l'écorche, un tempérament sanguin de colosse amoureux de la vie, du sexe et de la bouche d'un côté, une hypersensibilité pessimiste et morbide de l'autre, par l'alchimie desquels il va créer tant de chefs-d'œuvre, du réalisme jusqu'au fantastique. « Il est bien convenu que vous déjeunez chez moi tous les dimanches de cet hiver » lui écrit-il ainsi, en 1875, dans ces années où il suit avec attention les débuts littéraires de son cadet, avec lequel il dîne régulièrement à Paris, qu'il reçoit à

Croisset et dont il conseille affectueusement la carrière, lui ouvrant les portes des journaux parisiens et le poussant dans le monde où il compte tant d'amis.
Tous deux vont-ils, comme Frédéric et Arnoux, dans *L'Éducation sentimentale*, déjeuner chez Parly, rue de Chartres où, « comme il avait besoin de se refaire, il se commanda deux plats de viande, un homard, une omelette au rhum, une salade, etc., le tout arrosé d'un sauternes de 1819, avec une romanée 42, sans compter le cham-pagne au dessert, et les liqueurs » ? C'est certain, comme il est tout aussi probable que Bouvard et Pécuchet doivent beaucoup à cette amitié qui ressuscite, au soir de la vie de l'écrivain, sa relation privilégiée, jadis, avec Maxime Du Camp avec lequel il a fini par se brouiller parce qu'il lui reprochait de sacrifier à l'Académie française son idéal de beauté absolue. Ne reconnaît-on pas, ici, un de ces multiples échanges gastronomiques et littéraires que les deux hommes ont partagés ? « Alors ils se commandèrent pour leur dîner des huîtres, du canard, du porc aux choux, de la crème, un pont-l'évêque et une bouteille de bourgogne. » Ou dans cet autre : « Là nous pouvons nous permettre un repas plus important, huîtres, vol-au-vent, barbue, pigeons en compote, aloyau, arrosés de bourgogne et de champagne. » Et ce n'est pas fini : « Faisons une nouvelle halte pour un repas, roatsbeef, poule au jus, écrevisses, champignons, légumes en salade, rôtis d'alouettes, arrosés de bordeaux, bourgogne, malaga et champagne. » Ne croit-on pas enfin retrouver cette camaraderie filiale dans la manière dont Frédéric reçoit, dans *L'Éducation sentimentale*, son vieux camarade Deslauriers : « Le concierge avait

disposé sur la table, auprès du feu, des côtelettes, de la galantine, une langouste, un dessert et deux bouteilles de vin de Bordeaux. »

C'est certain, le sportif Guy de Maupassant, grand mangeur et grand coureur de filles, habitué des gargotes des bords de Seine le dimanche – en particulier le restaurant Fournaise, à Chatou, qui va bientôt servir de modèle à Renoir pour le *Déjeuner des canotiers* et dont la tenancière sert de modèle la Mère Grillon dans *La Femme de Paul* – a plus que Flaubert, donné une part importante de son œuvre à la nourriture, lui qui explique à François Tassart que « les femmes du monde ont de l'esprit, c'est vrai, mais de l'esprit fait au moule, comme un gâteau de riz assaisonné d'une crème. Leur esprit vient du Sacré-Cœur ; toujours les mêmes phrases faites des mêmes mots, c'est le riz. Puis toutes les banalités qu'elles ont recueillies dans la société depuis ; c'est la crème. » Ne commence-t-il pas son entrée dans la république des lettres par ce chef-d'œuvre absolu qu'est *Boule de Suif*, sa première nouvelle publiée et que le maître de Croisset a particulièrement admirée, dans laquelle l'héroïne, une femme galante dans une diligence, est la seule à avoir songé à prendre des provisions, excitant l'envie de ses compagnons de voyages, bourgeois compassés subissant là le supplice de Tantale : « Enfin, à trois heures, comme on se trouvait au milieu d'une plaine interminable, sans un seul village en vue, Boule de Suif, se baissant vivement, retira sous la banquette un large panier couvert d'une serviette blanche. Elle en sortit d'abord une petite assiette de faïence, une fine timbale en argent, puis une vaste terrine dans laquelle

deux poulets entiers, tout découpés, avaient confit sous leur gelée ; et l'on apercevait encore dans le panier d'autres bonnes choses enveloppées, des pâtés, des fruits, des friandises... Quatre goulots de bouteilles passaient entre les paquets de nourriture. Elle prit une aile de poulet et, délicatement, se mit à manger un de ces petits pains qu'on appelle "Régence" en Normandie... »
C'est bien par l'évocation de la table que Maupassant pénètre le mieux la cruauté de l'univers que son désenchantement – et bientôt sa folie – vont conduire à la mort, surtout lorsqu'alternent les moments de détresse et les moments de plaisir, pris par ses compagnons de la Grenouillère, que Paul Morand qualifie de « mélange typiquement français d'athlétisme, de littérature, de boustifaille et de bamboche » et dont on retrouve mille échos, comme dans le banquet offert dans Le *Rosier de Madame Husson*, « interminable et magnifique. Les plats suivaient les plats, le cidre jaune et le vin rouge fraternisaient dans les verres voisins et se mêlaient dans les estomacs. Les chocs d'assiettes, les voix et la musique faisaient une rumeur continue, profonde, s'éparpillaient dans le ciel où volaient des hirondelles ». Il y a bien un réalisme particulier chez Maupassant, impitoyable observateur de la destinée humaine qui, dans *Une vie*, raille la dislocation d'une procession de Fête-Dieu, parce que « une même pensée qui mettait en leur tête, comme une odeur de cuisine, allongeait les jambes, mouillait les bouches de salive, descendait jusqu'au fond des ventres où elle faisait chanter les boyaux ».

Plaisir populaire collectif – « Sur une table se trouvaient du pain, du beurre, du fromage et des saucisses. Chacun avalait une bouchée de temps en temps et, sous le plafond de feuilles illuminées, cette fête saine et violente donnait aux convives mornes de la salle l'envie de danser aussi, de boire au ventre de ces grosses futailles en mangeant une tranche de pain avec un oignon cru » (*Une vie*) – ou joie individuelle – « On lui servit, devant la boutique, sur le trottoir, un pied de mouton poulette, une salade et des asperges et M. Lerat fit le meilleur dîner qu'il eut fait depuis longtemps » (*Promenade*) –, la table est omniprésente dans les contes, rythmant les états d'âme du monde, calmant l'angoisse des soldats pendant la guerre de 1870, Français pillant une maison dans *Les Rois* ou Prussiens attendant sagement que la soupe soit prête dans *Mademoiselle Fifi*, et berçant l'existence familiale dans *Pierre et Jean* : « L'apparition d'un bar énorme rejeta Roland dans les récits de pêche... Après le poisson vint un vol-au-vent puis un poulet rôti, une salade, des haricots verts et un pâté d'alouettes de Pithiviers. La bonne de Mme Rosémilly aidait au service et la gaieté allait croissant avec le nombre de verres de vin. »
La nourriture rehausse encore la promenade romantique du rapin : « Il faisait chaud, très chaud, c'était un de ces jours brûlants et lourds où pas une feuille ne remue. On avait tiré la table dehors, sous un pommier et de temps en temps Sapeur allait remplir au cellier la cruche au cidre, tant on buvait. Céleste apportait les plats de la cuisine, un ragoût de mouton aux pommes de terre, un lapin sauté et une salade » (*Miss Harriet*). Elle permet aux bourgeois

d'affirmer leur aisance : « Pendant toute la semaine, il s'agita en prévision de ce dîner. Le menu fut longuement discuté pour composer en même temps un repas bourgeois et distingué. Il fut arrêté ainsi : un consommé aux œufs, des hors-d'œuvre, crevettes et saucisson, un homard, un pâté de foie gras, une salade, une glace et du dessert » (*L'Héritage*). Elle réjouit, dans le même conte, le Parisien en goguette le dimanche, à la campagne : « On avait croqué des goujons frits, mâché le bœuf entouré de pommes de terre et on passait le saladier plein de feuilles... » Elle sert enfin de prétexte à narrer des histoires – c'est le thème même des merveilleux *Contes de la bécasse* ! – et permet à l'écrivain de livrer certains de ses fantasmes érotiques par une approche gastronomique, comme dans ce passage de Joseph si révélateur : « Elles étaient grises. Ne sachant qu'inventer pour se distraire, la petite baronne avait proposé à la petite comtesse un dîner fin, au champagne. Elles s'étaient d'abord beaucoup amusées à cuisiner elles-mêmes ce dîner, puis elles l'avaient mangé avec gaieté en buvant ferme pour calmer la soif qu'avait éveillée dans leur gorge la chaleur des fourneaux. Maintenant elles bavardaient et déraisonnaient à l'unisson en fumant des cigarettes et se gargarisaient doucement avec la chartreuse. » Mais le plus extraordinaire est sans doute, dans Idylle, ce moment où, alors que le train emportant les voyageurs file à perdre haleine, ce malheureux mort de faim parvient à obtenir de la nourrice importunée par son trop plein-de lait qu'elle lui offre son sein, « qu'il se mit à téter d'une façon goulue et régulière ! »

« Lisez-moi encore un conte de ce cochon de Maupassant », a coutume de dire la princesse Mathilde à sa lectrice attitrée. La qualité de cochon, tous les amis de Flaubert et Flaubert lui-même la revendiquent hautement. L'écrivain n'est donc pas étonné de recevoir, le 27 avril 1880, cette lettre à lui adressée par le cochon de saint Antoine, mais c'est naturellement Maupassant qui tient la plume, ce qu'il découvre avec la féroce gaieté qu'on lui connaît :

« Illustre saint,
Depuis que vous avez fait un livre sur mon patron saint Antoine, l'orgeuil l'a perdu et il est devenu insupportable – il est pis qu'un cochon, sof le respec que je me dois – il ne panse plus qu'aux fame et a un tas de vilaine chose – il me fait des propositions obcèncs qu'il en est dégoutan, bref, je ne peu pu resté chez lui et je viens vous demandé si vous voulez bien de moi. Je feré ce que vous voudré, meme des cochonneries. Je suis votre humble serviteur. »

Maupassant habillera, dans quelques années, le cadavre de Flaubert, son maître, son ami, l'être, confiera-t-il plus tard, pour lequel « il avait le plus d'affection ». Et n'est-ce pas en pensant à eux qu'il décrit, dans *Yvette*, Jean de Servigny et Léon Saval, sortant du Café Riche pour se rendre chez la marquise Obardi : « Les deux amis marchaient d'un pas lent, un cigare à la bouche, en habit, le pardessus sur le bras, une fleur à la boutonnière et le chapeau un peu sur le côté, comme on le porte quelquefois par nonchalance, quand on a bien dîné et quand la brise est tiède » ?

Blond de veau à la Beauvilliers

Ingrédients

POUR 4 PERSONNES

1 kg de rouelle de veau
500 g de tranche de bœuf
1 poule bridée
2 oignons
4 litres de bouillon de poule fait maison, filtré et dégraissé
3 carottes
2 poireaux
sel
poivre du moulin

Épluchez les oignons, les carottes et les poireaux. Taillez les oignons et les carottes en grosses rondelles.
Beurrez un grand faitout. Déposez-y les oignons, et toutes les viandes sur ces derniers. Couvrez du bouillon de poule, ajoutez les carottes et poireaux, salez, poivrez et portez à ébullition. Baissez le feu à frémissement, couvrez et laissez cuire 4 heures sur feu doux.
Quand les viandes sont cuites, passez le bouillon à travers une passoire garnie d'un torchon.
Ce blond de veau se sert en potage, en consommé ou comme base de sauce. On peut y faire cuire de petites pâtes à potage.

Salmis de bécasse des Bernardins

Préchauffez le four à 240 °C (th. 8) pendant 10 minutes.
Enduisez les bécasses d'un peu d'huile d'arachide, salez-les et poivrez-les, et faites-les rôtir en les gardant saignantes (10 minutes au maximum).
Sortez-les du four et laissez-les tiédir.
Retirez les intestins, découpez les bécasses en quatre (cuisses et poitrines), retirez la peau et rangez les morceaux dans un plat creux. Gardez les parures et les carcasses (réservez l'intérieur des bécasses), concassez-les finement.
Ciselez finement les échalotes. Faites dorer les parures et les carcasses de bécasse au beurre dans un sautoir. Ajoutez les échalotes, les clous de girofle et le bouquet garni ; faites suer quelques minutes, déglacez avec le vin rouge, faites réduire aux deux tiers et mouillez avec le jus de volaille. Faites mijoter une demi-heure sur feu très doux en prenant soin d'écumer et de dégraisser régulièrement.
Passez la sauce au chinois et faites-la réduire à consistance à peine nappante. Nappez-en les morceaux de bécasse réservés dans le plat, puis faites chauffer le tout à four doux (150 °C).
Découpez 4 cœurs dans les deux tranches de pain de mie, poêlez-les au beurre sur les deux faces et tartinez-les avec l'intérieur des bécasses réservé.
Servez avec une poêlée de champignons sauvages ou une compotée de chou vert.

Ingrédients

POUR 4 PERSONNES

4 bécasses bridées, non vidées
10 cl d'huile d'arachide
2 échalotes
40 g de beurre
2 clous de girofle
1 bouquet garni
50 cl de vin rouge corsé
50 cl de jus de volaille
2 tranches de pain de mie
sel
poivre du moulin

Côtelette de sanglier à la Saint-Hubert

Ingrédients

pour 4 personnes

4 côtes de sanglier
500 g de parures de sanglier (obtenues en parant les côtes)
2 carottes
2 oignons
1 branche de thym
1 feuille de laurier
2 clous de girofle
2 baies de genièvre
1 cuillerée à soupe de poivre concassé
1 l de vin rouge corsé
5 cl de cognac
10 cl d'huile d'arachide
1 cuillerée à soupe d'huile d'olive
40 g de beurre
10 cl de vinaigre de vin
10 cl de crème fraîche
50 g de gelée de groseille
sel
poivre du moulin

Pelez les carottes et les oignons, émincez-les. Réunissez-les dans une grande terrine avec le thym, le laurier, les clous de girofle, les baies de genièvre et 1 cuillerée à soupe de poivre concassé. Déposez les côtes de sanglier sur le lit de légumes avec les parures de sanglier. Couvrez totalement du vin rouge et laissez mariner 12 heures au frais.

Égouttez les côtelettes de sanglier, la garniture et les parures, le tout séparément.
Dans une casserole, versez le vin de la marinade et ajoutez le cognac. Portez à ébullition.
Préparez la sauce : dans une cocotte, faites chauffer un filet d'huile d'arachide et faites-y bien colorer les parures de sanglier. Ajoutez les légumes, faites-les dorer légèrement, déglacez avec le vin et le cognac ébouillantés, puis passez au chinois. Faites réduire d'un tiers, mouillez avec un peu d'eau à hauteur des parures et laissez cuire 45 minutes sur feu doux. Passez au chinois, rectifiez l'assaisonnement et réservez au bain-marie.
Salez et poivrez les côtes de sanglier, poêlez-les dans un sautoir bien chaud avec un trait d'huile d'olive de façon à bien les colorer (elles se cuisent comme des côtes de porc). Ajoutez une noix de beurre à mi-cuisson. Débarrassez-les sur un plat chaud, déglacez le sautoir avec le vinaigre, faites réduire à sec, ajoutez la sauce puis la crème fraîche et enfin la gelée de groseille. Faites cuire 5 minutes sur feu doux et passez au chinois.
Servez bien chaud avec une purée de marrons, également bien chaude.

GRUAUD

Quand Bouvard et Pécuchet reçoivent et expérimentent

L'écrivain n'achève pas cette merveilleuse « encyclopédie critique en farce » qu'est *Bouvard et Pécuchet*. Mais cette charge féroce contre l'éternelle sottise de l'homme n'est pas moins que ses autres écrits parsemée des repas de ce couple singulier qui, enfin installé dans leur éden supposé, reçoivent leurs voisins : « Bouvard plaça les deux dames auprès de lui, Pécuchet le maire à sa gauche, le curé à sa droite ; et l'on entama les huîtres. Elles sentaient la vase. Bouvard fut désolé, prodigua les excuses et Pécuchet se leva pour aller dans la cuisine faire une scène à Beljambe. Pendant le premier service, composé d'une barbue entre un vol-au-vent et des pigeons en compote, la conversation roula sur la manière de fabriquer le cidre. Après quoi on en vint aux mets digestes ou indigestes... En même temps que l'aloyau, on servit du bourgogne. Il était trouble. Bouvard attribuant cet accident au rinçage de la bouteille, en fit goûter trois autres, sans plus de succès, puis versa du saint-julien, trop jeune, évidemment ; et tous les convives se turent. »

Si la sociabilité gastronomique est un échec, leurs expériences pseudo-scientifiques en matière de nourriture – c'est alors les grands débuts, en Europe, de la conserve) ! – le sont tout autant puisque, dans ce domaine aussi, Flaubert jubile en critiquant le savoir et, avec lui, cet avenir qu'il récuse : « Ils tâchèrent par économie de fumer des jambons, de couler eux-mêmes la lessive. Germaine qu'ils incommodaient haussait les épaules. À l'époque des confitures, elle se fâcha, et ils s'établirent dans le fournil. C'était une ancienne buanderie, où il y avait sous les fagots, une grande cuve maçonnée excellente pour leurs projets, l'ambition leur étant venue de fabriquer des conserves. Quatorze bocaux furent emplis de tomates et de petits pois ; ils en lutèrent les bouchons avec de la chaux vive et du fromage, appliquèrent sur les bords des bandelettes de toile puis les plongèrent dans l'eau bouillante. Elle s'évaporait ; ils en versèrent de la froide ; la différence de température fit éclater les bocaux. Trois seulement furent sauvés. Ensuite, ils se procurèrent de vieilles boîtes à sardines, y mirent des côtelettes de veau et les enfoncèrent dans le bain-marie. Elles sortirent rondes comme des ballons. Pour continuer l'expérience, ils enfermèrent dans d'autres boîtes des œufs, de la chicorée, du homard, une matelote, un potage, et ils s'applaudissaient, comme M. Appert

« d'avoir fixé les saisons » ; de pareilles découvertes, selon Pécuchet, l'emportaient sur les exploits des conquérants.
Ils perfectionnèrent les achars de Mme Bordin en épiçant le vinaigre avec du poivre ; et leurs prunes à l'eau-de-vie étaient bien supérieures ! Ils obtinrent par la macération des ratafias de framboise et d'absinthe. Avec du miel et de l'angélique dans un tonneau de Bagnols, ils voulurent faire du vin de Malaga ; et ils entreprirent également la confection d'un champagne ! Les bouteilles de chablis, coupées de moût, éclatèrent d'elles-mêmes. Alors ils ne doutèrent plus de la réussite. Leurs études se développant, ils en vinrent à soupçonner des fraudes dans toutes les denrées alimentaires. Ils chicanaient le boulanger sur la couleur de son pain. Ils se firent un ennemi de l'épicier, en lui soutenant qu'il adultérait ses chocolats. Ils se transportèrent à Falaise, pour demander du jujube ; et sous les yeux même du pharmacien, soumirent sa pâte à l'épreuve de l'eau. Elle prit l'apparence d'une couenne de lard, ce qui dénotait de la gélatine. »
Hélas, malgré leurs efforts, la catastrophe est inévitable.

Soupe de moules en montgolfière

Ingrédients

POUR 4 PERSONNES

3 l de moules
2 échalotes
1 belle branche de thym
50 cl de vin blanc
1 petit poireau
1 l de crème liquide
2 g de safran en filaments
2 tomates
1 bouquet de ciboulette
50 g de beurre
1 œuf
250 g de pâte feuilletée
sel
poivre du moulin

Ciselez les échalotes. Grattez et lavez les moules, réunissez-les dans un faitout avec les échalotes ciselées et le thym, mouillez avec le vin blanc, couvrez et faites ouvrir les coquillages sur feu vif. Égouttez-les aussitôt en récupérant le jus de cuisson.
Décoquillez toutes les moules et conservez-les au frais.
Émincez le poireau en biseau, lavez-le puis faites-le suer quelques minutes avec le beurre sur feu doux. Mouillez avec le jus de moules réservé et faites cuire 10 minutes. Égouttez le poireau et faites réduire la sauce d'un quart en ajoutant la crème et le safran. Vérifiez l'assaisonnement et réservez au chaud.
Ébouillantez et mondez les tomates, épépinez-les et taillez-les en petits dés. Ciselez la ciboulette. Battez l'œuf avec quelques gouttes d'eau pour confectionner la dorure.
Prenez quatre bols à gratiner en porcelaine épaisse.
Préchauffez le four à 210 °C (th. 7).
Étalez la pâte feuilletée en un rectangle assez grand pour que vous puissiez y découper quatre disques de diamètre légèrement supérieur à celui de vos bols.
Dans chaque bol, répartissez les moules, le poireau, les dés de tomate et 1 cuillerée à café de ciboulette ciselée par bol, et ajoutez la sauce à hauteur. Passez peu de dorure sur le tour du bol et appliquez-y les disques de feuilletage en appuyant bien sur tout le tour afin de réaliser une fermeture hermétique.
Badigeonnez de dorure la surface de la pâte et faites cuire 20 minutes au four.

Lapin à la casserole

Ingrédients

POUR **4** PERSONNES

1 lapin de 2 kg découpé au couteau en 8 morceaux par votre boucher
5 cl d'huile d'arachide
100 g de beurre
3 gousses d'ail
2 branches de thym
1 oignon
10 cl de vin blanc
1 l de fond de veau
200 g de petits oignons grelots
1 pincée de sucre
200 g de petits champignons de Paris (champignons boutons)
150 g de poitrine de porc fraîche demi-sel

Préchauffez le four à 210 °C (th. 7). Hachez l'ail, ciselez l'oignon. Dans un sautoir, de préférence en cuivre, faites revenir le lapin avec l'huile et 50 g de beurre avec l'ail et le thym en le faisant colorer uniformément sur toutes ses faces. Ajoutez l'oignon ciselé et faites suer quelques instants. Dégraissez le sautoir, déglacez avec le vin blanc puis ajoutez le fond de veau. Couvrez le sautoir, glissez-le au four et faites-le cuire 1 heure.
Épluchez les oignons grelots, puis glacez-les à blond : pour cela, faites-les cuire 10 minutes environ avec 10 cl d'eau, 30 g de beurre et le sucre jusqu'à évaporation complète de l'eau, puis faites-les dorer sur feu doux en remuant la casserole régulièrement jusqu'à ce qu'ils soient uniformément blonds.
Parez et lavez les champignons, laissez-les entiers. Taillez la poitrine demi-sel en gros lardons et faites dorer ceux-ci à la poêle avec 20 g de beurre. 5 minutes avant la fin de cuisson du lapin, ajoutez les champignons à la sauce.
Dressez le lapin dans un poêlon en cuivre en ajoutant les lardons et les petits oignons. Rectifiez l'assaisonnement de la sauce et passez-la au chinois directement sur le lapin. Servez chaud.

Gâteau normand à la peau de lait

Séparez les blancs des jaunes d'œufs. Préchauffez le four à 150 °C (th. 5). Tamisez la farine avec la levure chimique. Beurrez un moule à cake.
Battez les blancs d'œufs en neige ferme.
Battez vivement le sucre et les jaunes d'œufs avec les graines de la gousse de vanille fendue et grattée, jusqu'à ce que le mélange blanchisse. Ajoutez la peau de lait, mélangez bien, puis ajoutez le mélange farine-levure. Incorporez délicatement les blancs en neige.
Versez la pâte dans le moule beurré et faites cuire au four pendant 1 h 15 environ.

La peau de lait se recueille à la surface du lait cru bouilli. On la conserve au réfrigérateur en ajoutant une nouvelle couche de jour en jour. Lorsque vous en obtenez suffisamment, vous pouvez faire ce gâteau.

Ingrédients

POUR **4** PERSONNES

2 œufs
250 g de farine
1/2 sachet de levure chimique
1 noix de beurre pour le moule
200 g de sucre
2 tasses à thé de peau de lait
1 gousse de vanille

Les dîners Magny ou la synthèse littéraire et gastronomique

Flaubert en a toujours rêvé ; ses amis l'ont fait. De quoi s'agit-il ? D'un petit cénacle de bons garçons – ce que Maupassant appelle « la vie gaie avec les camarades » – tous gens d'art, vivant ensemble et se réunissant deux trois fois par semaine pour manger un bon morceau arrosé d'un bon vin. Les dîners Magny naissent ainsi, au mois de décembre 1863, à l'initiative de Gavarni et de Sainte-Beuve, chez le restaurateur Magny, d'abord rue de la Contrescarpe puis rue Dauphine (aujourd'hui Mazet) avant de déménager, quelques années plus tard, chez Bréban, boulevard Montmartre, ce qui n'est pas tout à fait une trahison puisque Bréban n'est autre que le gendre de Magny.
Cette adresse n'est pas choisie au hasard, car Modeste Magny, ancien chef de Chez Philippe, rue

Montorgueuil, est, avant tout, un des restaurateurs les plus réputés de Paris, dont Robert Courtine écrit : « Qui fut la première célébrité à fréquenter l'endroit ? Rossini qui y inaugure le tournedos portant son nom ? George Sand faisant des infidélités au restaurant Pinson, pas loin de là ? Sainte-Beuve, qui choisit le samedi pour y dîner, en salon particulier, avec la bonniche du moment ? Voire Théodore de Banville, qui le dépeint en quelques lignes, distingué, dans la mesure où il peut l'être, très poli, sans morgue et sans familiarité, d'un bon usage, intelligent et spirituel, un peu boiteux comme lord Byron. » Dans ce cénacle dînatoire, on est élu, comme dans une académie, et la compagnie réunit bientôt, autour de Flaubert, Edmond et Jules de Goncourt naturellement, mais aussi Ernest Renan, Yvan Tourgueniev, Alphonse Daudet, Sainte-Beuve, Émile Zola, Guy de Maupassant, Gavarni, Paul de Saint-Victor, Théodore de Banville, Alexandre Dumas fils, auxquels s'ajoute bientôt tout convive qu'un des membres souhaite présenter aux autres, ce qui, au fil des années, en fait le creuset essentiel de l'esprit du temps, d'autant que les conversations y sont très libres.
Dîners d'hommes ? Oui, sauf George Sand, la seule femme à y faire des apparitions régulières, comme ce jour où les Goncourt signalent son entrée « en robe fleur de pêcher, une toilette, je crois, tout en l'honneur de Flaubert » auquel elle glisse à l'oreille qu'il est, dans cette assemblée, le seul homme avec qui elle n'est pas gênée, comme du reste avec le patron à qui elle demande régulièrement de l'approvisionner en cigares

et cigarettes, lorsqu'elle prend ses quartiers à Nohant. Elle n'est pas la seule à requérir ses services puisqu'Alexandre Dumas fils en fait sa cantine principale, surtout lorsqu'il reçoit des dames, comme il le lui écrit : « Mon Cher Monsieur Magny, le dîner que nous devions faire chez vous, il y a six semaines, aura lieu d'aujourd'hui mardi en huit. Nous serons quatorze, dont Mme Sand, Mme About, Mme Dumas, Mme Deheuven et Mme de Najac, toutes petites mangeuses, mais qui ne seront pas fâchées de manger bien. Bref, plus de plats, dîner léger, mais comme on ne peut le faire que chez vous. »
Que mange-t-on, justement, aux dîners Magny, qui se tiennent d'abord un lundi tous les deux mois ? Nous ne connaissons pas tous les menus, à l'exception des cinq plus célèbres retenus par Alexandre Dumas père, mais, grâce à l'indispensable *Journal* des Goncourt, nous pouvons facilement supposer qu'y est servie avec abondance la grande cuisine parisienne de l'époque, lourde, copieuse, à base de viandes et de poissons baignant dans d'épaisses sauces, avec des spécialités reconnues – le gigot d'agneau truffé, les pieds de mouton à la poulette, les écrevisses à la Bordelaise, les bécasses à la Charles (le prénom du maître d'hôtel de la maison) et, naturellement, la désormais célèbre purée Magny au beurre d'Isigny, qui de ce fait ravit Flaubert, ainsi que la marmite (au bœuf), sa spécialité. On sait encore que si Ernest Renan y apprécie tout particulièrement les côtelettes d'agneau, Sainte-Beuve la bécasse, Théophile Gautier les cailles,

des innovations s'y font jour, plats régionaux (comme la bouillabaisse) ou même internationaux que l'Exposition universelle de 1867 a fait entrer dans les mœurs. Les vins enfin – toujours mélangés à l'époque – y sont particulièrement remarquables – c'est Alexandre Dumas fils qui en témoigne ! – et échauffent donc les têtes, ce qui a pour conséquence que les propos y sont le plus souvent salés, conduisant Edmond de Goncourt à conclure sur les convives, avec sa verve inimitable : « Tourgueniev est un cochon dont la cochonnerie est teintée de sentimentalisme. Zola est un cochon grossier et brute, dont la cochonnerie se dépense maintenant tout entière dans la copie. Daudet est un cochon maladif avec les foucades d'un cerveau chez lequel un jour pourrait bien entrer la folie. Flaubert est un faux cochon et affectant de l'être pour être à la hauteur des cochons vrais et sincères qui sont ses amis. Et moi je suis un cochon intermittent, avec des crises de salauderie qui ont l'exaspération d'une chair mordue par l'animal spermatique. »
Si l'ambiance est toujours vive, quelques mauvaises surprises interviennent parfois comme ce soir du 17 août 1863 dans lequel Théophile Gautier constatant avec horreur qu'on est treize à table, Sainte-Beuve prend la décision d'adjoindre aux convives le propre fils du patron, qui, quelques décennies plus tard, allait devenir un sénateur radical de la IIIe République. Enfin, un événement est à marquer d'une pierre blanche, le vendredi saint de l'année 1868, où le prince Jérôme-Napoléon, athée total, ne pouvant faire gras chez sa

femme (fille du roi d'Italie), sa sœur (Mathilde) et même ses maîtresses, convie Sainte-Beuve, Taine, Renan, Goncourt, le docteur Robin et, naturellement, Flaubert à dîner chez Magny. Au menu :

Potage au tapioca
Truite saumonée
Filets de bœuf au vin de Madère
Faisan truffé
Buisson d'écrevisses
Pointes d'asperges
Salade
Parfait de café

le tout fortement arrosé de château-margaux, nuits-saint-georges, musigny, château-yquem et champagne. Enfin, s'il arrive à Flaubert de refuser parfois les dîners Magny « où l'on a intercalé des binettes odieuses », il y demeure globalement fidèle jusqu'à la fin de sa vie, comme l'ensemble de ses amis pour qui, on l'aura compris, l'appétit tient, dans la vie de chacun, un rôle considérable. Voilà pourquoi il n'est pas excessif de dire que, de la Normandie de Flaubert à la Provence de Daudet, en passant par le Paris de Zola ou des Goncourt, c'est bien dans l'assiette que s'est formée l'école naturaliste et, avec elle, l'aventure de ces amitiés masculines qui se poursuivront jusqu'à extinction des combattants, comme le signale avec nostalgie Edmond de Goncourt, deux ans après la disparition du maître de Croisset, le 8 mars 1882 : « Reprise aujourd'hui de notre ancien dîner à cinq où manque Flaubert, où sont encore Tourgueniev, Zola, Daudet et moi. » Les banquets Magny – fussent-ils devenus les banquets Brébant à la fin – n'en n'ont pas moins une conséquence capitale dans l'histoire de la littérature française, puisque c'est là que, dans l'esprit des Goncourt, germe l'idée d'Académie, et par la suite de « prix Goncourt », destiné à reconnaître un auteur français, prix toujours d'actualité plus d'un siècle après les aventures d'une véritable bande d'amis et de créateurs inestimables

Les cinq menus de chez Magny retenus par Alexandre Dumas

Huîtres de Marennes
Beurre et crevettes
Potage à la bisque d'écrevisse
Truite, sauce à la Hollandaise
Filet à la Rossini
Bécasse flanquée d'ortolans
Cordons à la moelle
Parfait au café
Corbeille de fruits
Café et liqueurs

Potage
Faubonne aux quenelles
Filets de soles à la Dieppoise
Crépinettes de gibier à la Cusyine
Côtelettes d'agneau aux concombres
Selle de mouton Duchesse
Dindonneau au cresson
Asperges à la Hollandaise
Abricots à la Bourdaloue
Gelée macédoine au champagne
Pailles à la Sifton
Biscuit glacé aux avelines

Potage
Vermicelle au consommé
Sole à la Colbert
Pieds de mouton à la poulette
Poulet de grain rôti
Choux de Bruxelles au beurre
Beignets de pommes
Mendiants
Fromage

Potage Parmentier
Filets de sole vénitienne
Poulet à la chasseur
Côtelettes d'agneau aux pointes d'asperges
Bécasses flanquées de mauviettes
Haricots verts maître d'hôtel
Cèpes à la Bordelaise
Gâteau de Compiègne au Kirsch
Crème bavaroise au chocolat
Ramequins au fromage
Glace à l'orange

Potage
Tortue liée à l'Anglaise
Printanier à la royale
Filets de saumon à la Daumont
Turbot sauce homard et hollandaise
Friantines à la Talleyrand
Cailles à la Bohémienne
Côtelettes d'agneau à la Maintenon
Filet de bœuf à la Richelieu
Poularde à l'Africaine
Levrauts
Canetons
Pois à la Française
Artichauts espagnols
Soufflé mousseline à la Viennoise
Pains de fruits moscovites
Talmouses au fromage
Bombe à la cardinal

Dinde aux truffes et purée Magny

Ingrédients

pour 4 personnes

1 dinde fermière de 3,5 kg
300 g de lard gras taillé en bardes
30 g de truffe fraîche
6 branches de thym
3 feuilles de laurier
1 tête d'ail
1 croûton de pain de campagne
10 cl d'huile d'arachide
100 g de beurre
300 g de carcasse de dinde concassée
sel
poivre du moulin

La purée Magny

600 g de pommes de terre rattes
1 kg de gros sel
20 cl de crème liquide
250 g de beurre
30 g de truffe fraîche
sel
poivre du moulin

La veille, préparez la dinde pour la rôtir : mixez d'abord le lard gras avec la truffe, sel et poivre. Décollez la peau des cuisses et de la poitrine de la dinde pour glisser ce mélange entre la chair et la peau. Frottez le croûton de pain avec 1 gousse d'ail et glissez-le à l'intérieur de la dinde avec le thym et le laurier. Bridez la dinde et laissez-la reposer 24 heures au frais afin qu'elle prenne bien le goût de la truffe.

Le lendemain, sortez la dinde du réfrigérateur 2 heures à l'avance. Préchauffez le four à 180 °C (th. 6).
Salez et poivrez la dinde sur toute sa surface. Faites chauffer l'huile et le beurre dans une grande cocotte en fonte et faites-y rôtir la dinde à couvert en l'arrosant souvent avec l'huile et le beurre de cuisson. Si vous voyez qu'elle rôtit trop vite, ajoutez une goutte d'eau. Pour éviter que la dinde ne se dessèche, découvrez-la au bout de 45 minutes, ajoutez les carcasses de dinde et le reste de la tête d'ail, et terminez la cuisson à découvert pendant 30 à 40 minutes à four doux.
Hors du four, laissez reposer la dinde 10 minutes pendant que vous finissez le jus en le faisant réduire et en le passant au chinois.
Préparez la purée : faites cuire les pommes de terre rattes au four à 180 °C sur un lit de gros sel pendant 40 minutes environ.
Pendant ce temps, ébouillantez la crème et le beurre dans une petite casserole. Hachez finement la truffe.
Une fois que les rattes sont cuites, épluchez-les, passez-les au presse-purée et ajoutez la crème bouillie avec le beurre.
Incorporez la truffe hachée et rectifiez l'assaisonnement.
Découpez dans un plat la dinde en servant un morceau de poitrine et un morceau de cuisse avec le jus de cuisson et la purée truffée.
S'il vous reste un peu de truffe hachée, vous pouvez l'ajouter au jus : il n'en sera que meilleur.

Ortolans à la provençale

Taillez la carotte et l'oignon en mirepoix (petits dés réguliers). Garnissez-en le fond d'une petite cocotte en fonte.
Préchauffez le four à 210 °C (th. 7).
Coupez vos truffes en deux, creusez-les de manière à pouvoir y enfermer les ortolans. Reformez chaque truffe sur son ortolan, enveloppez-la de fines tranches de ventrèche pour la maintenir fermée.
Rangez les truffes farcies d'ortolans dans une cocotte sur la mirepoix de légumes, versez le madère, couvrez et faites cuire 7 minutes environ à four vif.
Servez dès la sortie du four et surtout n'oubliez pas de vous cacher le visage derrière votre serviette pour déguster votre ortolan.

Ingrédients

POUR 4 PERSONNES

4 ortolans
1 carotte
1 oignon
4 truffes de 80 g chacune
8 fines tranches de ventrèche
20 cl de vieux madère

Tarte fine aux pommes

Abaissez le feuilletage au rouleau et détaillez-y 4 disques de 20 cm de diamètre. Piquez-les avec une fourchette sur toute leur surface et laissez-les reposer au moins 3 heures au frais. Préchauffez le four à 210 °C (th. 7).
Épluchez les pommes, taillez-les en deux, épépinez-les et émincez-les en tranches de 2 mm d'épaisseur environ.
Rangez harmonieusement les lamelles de pomme sur les disques de feuilletage de façon à en recouvrir totalement la surface.
Parsemez de quelques dés de beurre frais, de cassonade et de cannelle.
Faites cuire 20 minutes au four sur une plaque et servez tiède avec une quenelle de glace vanille.

Ingrédients

POUR **8** PERSONNES

500 g de feuilletage
4 pommes golden
50 g de beurre
70 g de cassonade
1 cuillerée à café
de cannelle en poudre

A. ASTI

Deux fourchettes, émules de Flaubert : Alphonse Daudet et Émile Zola

Parmi les convives de Magny – et les proches amis de Flaubert – Alphonse Daudet justement est non seulement l'un des plus portés sur les femmes, mais encore l'un des plus gourmands, lui qui, naturellement, avait traité son compatriote Mistral, en visite à Paris, à l'occasion de son mariage avec Julia Allard – c'était le 29 janvier 1867 – au plus illustre des restaurants du Palais-Royal, Véfour, lui encore qui, selon Edmond de Goncourt, « ne peut écrire une lettre qu'après déjeuner et surtout après dîner », parce que seule la nourriture l'empêche de trembler », quand on ne le surprend pas, chez Weber, à déguster avec François Coppée et les journalistes du *Figaro* quelques pintes de bière en se gorgeant « de saucisses grillées et des os de côte de bœuf moutardés et passés au gril, servis avec des pommes chip's », comme l'écrit alors Charles Thiéblemont, patron de l'établissement, notant qu'à cette époque bénie, avec la bière à 0,80 franc et l'assiette anglaise à 1,25 franc, on dînait chez lui pour... 3,70 francs, service compris !

Daudet, apôtre de la culture provençale, qu'il évoque avec autant de sensualité que Maupassant celle de Normandie, parlant avec subtilité des oranges de sa province et avec humour du goût du Père Gaucher pour la dive bouteille, ne ressemble-t-il pas, finalement, à l'un de ses personnages les plus savoureux des *Lettres de mon moulin*, ce malheureux curé expédiant trop à la hâte ses trois messes de Noël, en pensant à ce qui, au fond, est l'essentiel, le menu du réveillon, dont l'ecclésiastique est alléché bien avant l'office qu'il doit au Seigneur :

« Deux dindes truffées, Garrigou ?

« – Oui, Mon Révérend, deux dindes, magnifiques, bourrées de truffes. J'en sais quelque chose puisque c'est moi qui ai aidé à les remplir. On aurait dit que leur peau allait craquer en rôtissant, tellement elle était tendue.

« – Jésus-Maria ! Moi qui aime tant les truffes ! Donne-moi vite mon surplis, Garrigou... Et avec les dindes, qu'est-ce que tu as encore aperçu à la cuisine ?

« – Oh ! Toutes sortes de bonnes choses... Depuis midi nous n'avons fait que plumer des faisans, des huppes, des gelinottes, des coqs de bruyère. La plume en volait partout. Puis de l'étang on a apporté des anguilles, des carpes dorées, des truites, grosses comme ça, Mon Révérend, énor mes !

« – Oh ! Dieu ! Il me semble que je les vois... au fait, as-tu mis du vin dans les burettes ?

« – Oui, Mon Révérend, j'ai mis le vin dans les burettes. Mais dame ! Il ne vaut pas celui que vous boirez tout à l'heure en sortant de la messe de minuit. Si vous voyiez cela dans la salle à manger du château, toutes ces carafes qui flambent pleines de vins de toutes les couleurs. Et la vaisselle d'argent, les surtouts ciselés, les fleurs, les candélabres ! Jamais il ne sera vu un réveillon pareil. Monsieur le Marquis a invité tous les seigneurs du voisinage. Vous serez au moins quarante à table, sans compter le bailli ni le tabellion. Ah ! Vous êtes bien heureux d'en être, Mon Révérend. Rien que d'avoir flairé ces belles dindes, l'odeur des truffes me suit partout. Meuh ! [...] »

Cette conversation se tenait une nuit de Noël de l'an de grâce mille six cent et tant, entre le révérend dom Balaguère, ancien prieur des Barnabites, présentement chapelain gagé des sires de Trinquelage, et son petit clerc Garrigou, ou du moins ce qu'il croyait être le petit clerc Garrigou, car vous saurez que le diable, ce soir-là, avait pris la face ronde et les traits indécis du jeune sacristain pour mieux faire induire le révérend père en tentation et lui faire commettre un épouvantable péché de gourmandise. Donc, pendant que le soi-disant Garrigou (hum ! hum !) faisait à tour de bras carillonner les cloches de la chapelle seigneuriale, le révérend achevait de revêtir sa chasuble dans la toute petite sacristie du château et, l'esprit déjà troublé par toutes ces descriptions gastronomiques, il se répétait à lui-même en s'habillant : « Des dindes rôties... des carpes dorées... des truites grosses comme ça... »

Tout l'esprit flaubertien réside dans cette dernière phrase !

Un autre écrivain cependant, coupable du même vice, manifeste plus encore d'empressement pour la science culinaire : Émile Zola. Mais laissons la parole à Edmond de

Goncourt : « Hier, les Charpentier m'ont montré un Zola que je ne connaissais pas, un Zola gueulard, gourmand, gourmet, un Zola dépensant tout son argent à des choses de la gueule, courant les marchands de comestibles et les épiciers à la grande renommée, se nourrissant de primeurs. Et cette gueulardise chez le romancier, doublée d'une science de la cuisine qui lui fait aussitôt dire ce qui manque à un plat, ou l'absence d'un certain assaisonnement particulier, ou la quantité en minutes qui ont manqué à son mijotement. D'un œuf à la coque, examinant la chambre, il vous indique professoralement combien l'œuf a de jours, a d'heures. À ce qu'il paraît, toutes les distractions, toute la débauche de l'écrivain sensualiste résident dans de petits plats cuisinés par sa femme, cuisinés comme en province, cuisinés avec la foi et la religion d'une cuisinière en le génie du maître. Et le maître ne dédaigne pas les indications culinaires, le coup d'œil encourageant et parfois même le coup de poignet qui fait tressauter et détache le fond d'une casserole. »

En voudrait-on une preuve supplémentaire ? « Dîner chez Zola. Un fin dîner, avec un potage au blé vert, des langues de rennes de Laponie, des surmulets à la provençale, une pintade truffée. Un dîner de gourmets, assaisonné d'une originale conversation sur les choses de la gueule et l'imagination de l'estomac, au bout de laquelle Tourgueniev prend l'engagement de nous faire manger des doubles bécassines de Russie, le premier gibier du monde. »

Tout en passant sur le souper somptueux offert, chez Brébant, pour la centième de *Nana* ou, chez le même, l'institution des « Dîners de l'Assommoir », dernier avatar de Magny, il n'est du reste qu'à rechercher, dans l'œuvre de Zola,

la précision toute flaubertienne avec laquelle il se livre à la narration gustative, dont témoignent, parmi d'autres – car le sujet est chez lui immense ! – ces deux extraits du *Ventre de Paris*, texte essentiel, dans lequel l'écrivain exprime parfaitement la fougue gustative de « la bande de Magny », naturellement connexe de leurs désirs sexuels, et plus particulièrement dans la stupéfiante description des Halles, où l'accumulation des marchandises nous vaut cette page lyrique de désir non maîtrisé, que Flaubert n'aurait sans doute pas reniée :
« Les salades, les laitues, les scaroles, les chicorées ouvertes et grasses encore de terreau, montraient leurs cœurs éclatants ; les paquets d'épinards, les paquets d'oseille, les bouquets d'artichauts, les entassements de haricots et de pois, les empilements de romaines, liées d'un brin d'oseille, chantaient toute la gamme du vert, de la laque verte des cosses au gros vert des feuilles ; gamme soutenue qui allait en se mourant jusqu'aux panachures des pieds de céleris et des bottes de poireaux. Mais les notes aiguës, ce qui chantait le plus haut, c'était toujours les taches vives des carottes, les taches pures des navets, semées en quantité prodigieuse le long du marché... Au carrefour de la rue des Halles, les choux faisaient des montagnes, les énormes choux blancs, serrés et durs comme des boulets de métal pâle ; les choux frisés, dont les grandes feuilles ressemblaient à des vasques de bronze ; les choux rouges que l'aube changeait en une floraison superbe, lie-de-vin, avec des meurtrissures de carmin et de pourpre sombre. À l'autre bout... une barricade de potirons orangés sur deux rangs, s'étalant, élargissant leurs ventres. Et le vernis mordoré d'un panier d'oignons, le

rouge saignant d'un tas de tomates, l'effacement jaunâtre d'un lot de concombres, le violet sombre d'une grappe d'aubergines, çà et là, s'allumaient pendant que de gros radis noirs, rangés en nappes de deuil, laissaient encore quelques trous de ténèbres au milieu des joies vibrantes du réveil... Des camions arrivaient au trot, encombrant le marché de la Vallée de cageots pleins de volailles vivantes et de paniers carrés où des volailles mortes étaient rangées par lits profonds. Sur le trottoir opposé, d'autres camions déchargeaient des veaux entiers, emmaillotés d'une nappe, couchés tout le long comme des enfants, dans des mannes qui ne laissaient passer que les quatre moignons, écartés et saignants. Il y avait aussi des moutons entiers, des quartiers de bœuf, des cuisseaux, des épaules... au carreau de la triperie, parmi les têtes et les pieds de veau blafards, les tripes proprement roulées en paquet dans les boîtes, les cervelles rangées délicatement sur des paniers plats, les foies saignants, les rognons violâtres » conduisent le spectateur à l'état de transe : « Aveuglé, noyé, les oreilles sonnantes, l'estomac écrasé par tout ce qu'il avait vu, devinant de nouvelles et incessantes profondeurs de nourriture, il demanda grâce et une douleur folle le prit, de mourir ainsi de faim, dans Paris gorgé, dans ce réveil fulgurant des Halles. »
Que dire enfin de la description de la boutique de Lina, dans ces mêmes Halles, où le désir devient inexorable, puisque celle-ci « était une joie pour le regard » ? Qu'on en juge : « C'était un monde de bonnes choses, de choses fondantes, de choses grasses. D'abord, tout en bas, contre la glace, il y avait une rangée de pots de rillettes, entremêlées de pots de moutarde. Les jambonneaux désossés venaient

au-dessus, avec leur bonne figure ronde, jaune de chapelure, leur manche terminé par un pompon vert. Ensuite arrivaient les grands plats : les langues fourrées de Strasbourg, rouges et vernies, saignantes à côté de la pâleur des saucisses et des pieds de cochon ; les boudins noirs, roulés comme des couleuvres bonnes filles ; les andouilles, empilées deux à deux, crevant de santé ; les saucissons, pareils à des échines de chantre, dans leurs chapes d'argent ; les pâtés, tout chauds, portant les petits drapeaux de leurs étiquettes ; les gros jambons, les grosses pièces de veau et de porc, glacées, et dont la gelée avait des limpidités de sucre candi. Il y avait encore de larges terrines, au fond desquelles dormaient des viandes et des hachis, dans des lacs de graisse figée. Entre les assiettes, entre les plats, sur le lit de rognures bleues, se trouvaient jetés des bocaux d'achards, de coulis de truffes conservées, des terrines de foie gras, des boîtes moirées de thon et de sardines. Une caisse de fromages laiteux, et, une autre caisse, pleine d'escargots bourrés de beurre persillé, étaient posées aux deux coins, négligemment. Enfin, tout en haut, tombant d'une barre à dents de loup, des colliers de saucisses, de saucissons, de cervelas, pendaient, symétriques, semblables à des cordons et à des glands de tentures riches ; tandis que, derrière, des lambeaux de crépine mettaient leur dentelle, leur fond de guipure blanche et charnue. »

Pâté de jambon

Ingrédients

Pour 6 à 8 personnes

200 g de noix de veau
10 cl de cognac
400 g de chair à saucisse fine
300 g de farine
120 g de beurre ramolli
40 g de saindoux
2 jaunes d'œufs
1 crépine de porc
3 tranches épaisses de jambon d'York
1 bouquet de persil plat
thym, laurier, quatre-épices
noix de muscade râpée
sel
poivre du moulin

La veille, dans une terrine, mélangez la viande de veau en petits dés avec le cognac. Laissez macérer au frais pendant une nuit.

Le lendemain, mélangez dans une terrine la farine, 100 g de beurre, le saindoux, 1 pincée de sel et 1 jaune d'œuf. Travaillez ces ingrédients en ajoutant juste assez d'eau froide pour amalgamer. Roulez la pâte en boule et laissez-la reposer 2 heures au frais.

Pendant ce temps, faites tremper la crépine dans de l'eau froide. Préchauffez le four à 210 °C (th. 7). Taillez le jambon en petits cubes, ciselez finement le persil plat. Battez le jaune d'œuf restant avec un peu d'eau pour réaliser une dorure.

Beurrez une terrine ronde d'une contenance de 1 kg avec les 20 g de beurre restants. Sortez du réfrigérateur la terrine contenant le veau haché, ajoutez la chair à saucisse et les dés de jambon d'York. Mélangez intimement et ajoutez le persil plat ciselé. Mélangez à nouveau et ajoutez 1 bonne pincée de thym, 1 feuille de laurier pulvérisée, 1 petite pincée de quatre-épices ; salez, poivrez et muscadez.

Partagez la boule de pâte en deux portions inégales avec un rouleau à pâtisserie, abaissez la plus grande à 5 mm d'épaisseur et garnissez-en la terrine beurrée en faisant déborder la pâte tout autour. Déposez la farce dans ce moule chemisé de pâte.

Égouttez et épongez la crépine, étirez-la légèrement et étendez-la sur toute la surface de la farce. Coupez ce qui dépasse.

Abaissez la seconde portion de pâte, un peu plus finement que la première, et déposez-la sur le tout comme un couvercle.

Pincez les bords en joignant les deux abaisses de pâte.

Badigeonnez toute la surface de dorure au jaune d'œuf. Rayez légèrement le couvercle de pâte avec la pointe d'un couteau et enfoncez au centre une douille lisse assez grande qui fera office de cheminée (à défaut de douille, confectionnez un cylindre de papier que vous enfoncerez au centre du pâté).

Faites cuire la terrine de 45 à 50 minutes au four. Baissez alors la température du four à 180 °C et faites cuire encore 30 minutes. Laissez refroidir complètement et démoulez.

Tête de veau farcie

Dans un faitout, préparez un blanc en délayant la farine dans un peu d'eau ; ajoutez le jus de citron et allongez d'assez d'eau pour recouvrir entièrement la tête de veau. Ajoutez la carotte en rouelles, l'oignon coupé en deux, les grains de poivre et un peu de gros sel. Portez à ébullition, salez, ajoutez la tête de veau, couvrez et faites cuire 2 h 30 environ sur feu doux ou jusqu'à ce que la tête de veau soit tendre.

Une fois la tête de veau cuite, laissez-la tiédir et déroulez-la. Sur une grande feuille de film étirable, étalez-la à plat en réservant la langue (généralement une demi-langue) à part. Si celle-ci n'a pas soigneusement été pelée, retirez le reste de peau.

Parez et lavez les champignons, égouttez-les et épongez-les soigneusement. Taillez-les en duxelles (hachez-les finement au couteau) et poêlez-les dans 50 g de beurre avec un peu de jus de citron jusqu'à évaporation complète du liquide.

Faites cuire les œufs durs, écalez les, hachez-les au couteau. Ciselez le persil. Mélangez les champignons, les œufs durs hachés et le persil ciselé ; salez, poivrez, appliquez cette farce sur la tête de veau étalée. Placez la langue au milieu, roulez de nouveau la tête de veau autour de la langue et de la farce et enveloppez bien le rouleau dans la feuille de film étirable afin de confectionner un paquet bien serré. Laissez-le reposer au moins 3 heures au réfrigérateur.

Préchauffez le four à 150 °C (th. 5).

Découpez la tête de veau farcie en tranches de 1 cm d'épaisseur, disposez-les dans un plat à gratin beurré, ajoutez le fond blanc pour mouiller légèrement. Poudrez de chapelure et arrosez de beurre fondu. Faites gratiner au four environ 20 minutes, jusqu'à ce que la chapelure soit dorée.

Pendant ce temps, préparez la sauce ravigote : commencez par préparer une vinaigrette en mélangeant le vinaigre, la moutarde, sel et poivre. Hachez les œufs durs et ajoutez-les à la vinaigrette, ainsi que les cornichons, les câpres, le persil plat et l'oignon. Rectifiez l'assaisonnement.

Servez avec la sauce ravigote et des pommes vapeur.

Ingrédients

POUR 4 PERSONNES

1/2 tête de veau roulée avec 1/2 langue
100 g de farine
le jus de 1 citron
1 carotte
1 oignon
1 bouquet garni
1/2 cuillerée à café de grains de poivre noir
15 cl de fond blanc
200 g de chapelure
100 g de beurre
gros sel
sel fin
poivre du moulin

La farce

500 g de champignons de Paris
2 œufs
1 petit bouquet de persil plat
50 g de beurre

La sauce ravigote

2 cuillerées à soupe de vinaigre de jerez
2 cuillerées à café de moutarde de Dijon
6 cuillerées à soupe d'huile d'arachide
2 œufs durs
2 cuillerées à soupe de cornichons hachés
2 cuillerées à soupe de câpres grossièrement hachées
2 cuillerées à soupe de persil plat haché
1 cuillerée à soupe d'oignon haché
sel
poivre du moulin

Mijoté de haricot de mouton aux oignons roussis

Ingrédients

POUR 4 PERSONNES

1,5 kg d'épaule d'agneau taillée en morceaux de 80 g
2 carottes
1 gros oignon
25 petits oignons grelots
3 tomates fraîches
1 cuillerée à soupe de concentré de tomate
1/2 tête d'ail
10 cl d'huile d'arachide
30 g de beurre
1 pincée de sucre
sel
poivre du moulin

Les haricots
1 kg de haricots blanc secs
1 carotte
1 oignon
2 clous de girofle
1 bouquet garni

Faites tremper les haricots blancs 24 heures.
Égouttez-les, couvrez-les d'eau dans une casserole, portez à ébullition et faites-les blanchir quelques minutes. Égouttez-les, rafraîchissez-les sous l'eau froide courante, puis, de nouveau, couvrez-les d'eau dans la casserole et faites-les cuire sur feu doux avec la carotte, l'oignon piqué des clous de girofle et le bouquet garni. Laissez frémir environ 1 h 15, jusqu'à ce que les haricots soient tendres, puis réservez-les dans leur eau de cuisson.

Pour préparer le ragoût d'agneau, taillez les carottes et l'oignon en mirepoix (c'est-à-dire en petits dés). Épluchez les oignons grelots. Ébouillantez et mondez les tomates. Épépinez-les et concassez-les.
Préchauffez le four à 180 °C (th. 6).
Salez et poivrez les morceaux d'agneau, faites-les colorer sur feu vif dans une cocotte avec l'huile d'arachide. Dès que la viande est dorée sur toutes ses faces, ajoutez les carottes et l'oignon en mirepoix, l'ail, le concentré de tomate et les tomates fraîches concassées. Faites suer le tout quelques minutes puis mouillez d'eau à hauteur. Salez, poivrez. Couvrez la cocotte, glissez-la au four et faites cuire 50 minutes. Égouttez la viande et passez le jus au chinois.
Égouttez les haricots en éliminant les garnitures. Réunissez la viande et les haricots dans la cocotte, ajoutez la sauce, rectifiez l'assaisonnement et faites mijoter le tout 15 minutes sur feu doux ou dans le four.
Pendant ce temps, faites cuire les oignons grelots avec le beurre, le sucre, sel, poivre et un peu d'eau. Lorsque l'eau s'est évaporée, faites-les glacer, c'est-à-dire dorer sur toute leur surface. Ajoutez-les au dernier moment au mijoté de haricot de mouton et servez bien chaud.

La fin du vieux maître ou le banquet de Don Juan

La guerre, les deuils, la maladie, la ruine attristent les dernières années de Flaubert qui, au lendemain de la mort de sa mère, se confine à Croisset. La guerre de 1870, qui voit, entre autres, l'occupation de la Normandie par les Prussiens, n'arrange pas son moral. Et il faut encore nourrir les pauvres qui se présentent au portail du domaine, ce qu'il fait bien volontiers, quoique refusant de paraître, tandis qu'à Paris, son ami Edmond de Goncourt note dans son *Journal* que « la viande de cheval se glisse sournoisement dans l'alimentation », avant de noter : « On ne parle plus que de ce qui se mange, peut se manger, se trouve à manger », préoccupation qui est aussi celle de Victor Hugo, se souvenant d'avoir vu des chats, des chiens et des rats au menu des grands restaurants, avec, bien entendu, la panoplie complète des animaux du Jardin des plantes accommodés à toutes les sauces.

Le Second Empire s'effondre en effet dans l'indifférence générale, y compris celle de Flaubert qui, cependant, va visiter dans son exil belge sa vieille complice la princesse Mathilde et dîner avec Edmond de Goncourt, à présent « veuf » de son frère Jules. Mais la conjoncture le perturbe tant qu'en 1872, ce dernier remarque qu'il prend des habitudes bizarres – la scène se passe au Café Riche : « Nous dînons, bien entendu, dans un cabinet, parce que Flaubert ne veut pas de bruit, ne veut pas d'individus à côté de lui et qu'il veut encore, pour manger, ôter son habit et ses bottines » ! Certes, ses amis n'oublient pas, chaque année, de fêter dignement avec lui la Saint-Polycarpe qui, selon lui, avait coutume de s'écrier régulièrement : « Dans quel siècle, mon Dieu, m'avez-vous fait naître. » Le menu « naturaliste » du 27 avril 1877, organisé par Charles Lapierre, directeur du *Nouvelliste* de Rouen, chez Paul Brébant, pour Flaubert, Zola, Goncourt, Daudet, Mirbeau, Paul Alexis et Cézanne, est demeuré célèbre :

Potage, purée Bovary
Truite saumonée à la Fille Elisa
Poularde truffée à la Saint-Antoine
Artichauts au cœur simple
Parfait naturaliste
Glace Salammbô
Vin de Coupeau et liqueurs de l'Assommoir

À la suite d'un autre repas, cette fois organisé par ses amis Lapierre, il apprécie particulièrement le dessert, « un gâteau de Savoie ayant cette devise, Vive saint Polycarpe », suivi de « Toasts avec champagne ». Mais supporte-t-il encore la nourriture ? « J'ai eu une indigestion de bourgeois », a-t-il déjà écrit après le mariage de sa nièce Caroline. « Trois dîners, un déjeuner ! Et quarante-huit heures passées à Rouen. C'est fort ! Je rote encore dans les rues de ma ville natale et je vomis des cravates blanches. » Cela n'empêche pas Maurice Dreyfous d'observer « sa figure enluminée de rouge, presque amarante », qui ne laisse guère de doute sur sa fin prochaine, ce que confirme Émile Bergerat, notant de son côté : « Son visage avait été envahi par une couperose dégénérée plus tard en eczéma véritable et qui l'avait fait comparer par Théophile Gautier, à une cerise à l'eau-de-vie tombée dans le feu. »
Alors la gastronomie compense, une nouvelle fois, les frustrations de celui qui – pour survivre – a dû accepter de la IIIe République un poste (qu'il n'a pas à exercer) de conservateur à la bibliothèque Mazarine, comme le constatent ses amis, venus à Croisset le 28 mars 1880, priés à passer un week-end où ils sont, à ses frais, logés et nourris. Cet ultime moment privilégié, dans lequel Edmond de Goncourt observe dans le train les conduisant « Zola gai comme un clerc de commissaire-priseur qui va faire un inventaire, Daudet comme un échappé de ménage qui s'apprête à courir

une bordée, Charpentier comme un étudiant qui entrevoit une série de bocks à la cantonade, et moi je suis très heureux d'embrasser Flaubert », sonne en effet le glas de Don Juan. Après avoir, une nouvelle fois, admiré la vaste propriété et s'être régalé « d'une sauce à la crème et d'un turbot qui est une merveille », tout en notant au passage qu'on y boit « beaucoup de vins de toutes sortes », Edmond de Goncourt remarque que « une vie à la fois matérielle et contemplative est celle où l'estomac est nourri de la plus délicate cuisine et la vue charmée par les plus beaux arbres de la terre ».

Car épuisé par son œuvre ou pire, par la suite qu'il ne peut lui donner, démoralisé aussi par la ruine consécutive à la faillite du mari de sa nièce et enfin terrassé par ses excès de table, Flaubert s'éteint, deux mois après cette rencontre, le 8 mai 1880, au crépuscule de sa cinquante-neuvième année, dans la solitude la plus totale bien que salué par la jeune génération comme son maître absolu. Ses amis arrivent aussitôt, Maupassant et Zola surtout, le premier frappé par « ce grand mort au cou gonflé, à la gorge rouge, terrifiant comme un colosse foudroyé », le second horrifié, pendant le dîner suivant l'enterrement au cimetière de Rouen, de constater que Commanville, neveu du défunt qu'il a ruiné par ses imprudences, « mange copieusement et se coupe sept tranches de jambon ».

Dix ans plus tard, le 23 novembre 1890, les survivants sont encore là pour assister, à Rouen, à l'inauguration du monument de Flaubert. À l'issue de la cérémonie, tous vont déguster, dans un restaurant de la cité, un inévitable « canard à la rouennaise », en évoquant ce vieux camarade si bon vivant mais dont la lucidité désespérée avait fait un des géants de l'écriture, tâche dont ne demeurent que quelques souvenirs, à Croisset, dans le pavillon qui seul subsiste de la thébaïde flaubertienne (rasée après la mort du maître) : l'encrier-crapeau, les plumes d'oie, le coupe-papier à son chiffre et même le perroquet empaillé d'*Un cœur simple*, parmi d'autres objets familiers, ainsi qu'à la mairie du bourg sa bibliothèque confiée par l'Institut de France, comme autant de reliques d'un homme qui avait presque renoncé à vivre pour mieux représenter la vie, en écrivant, comme il le disait lui-même, « avec ses entrailles » jusqu'à l'hallucination, l'absolu, en un mot, l'idéal.

À La Bouille, 2 septembre 2003.

Chronologie

1821
Naissance de Gustave Flaubert à l'hôtel-Dieu de Rouen, dont son père est le médecin chef, (12 décembre).

1832
Flaubert entre au collège royal de Rouen (octobre).

1840
Flaubert est reçu au baccalauréat (août). Voyage dans le Sud-Ouest de la France et en Corse.

1842
Flaubert commence ses études de droit à Paris (octobre).

1843
Début de l'amitié de Flaubert et de Maxime Du Camp.

1844
Grave maladie de Gustave Flaubert qui lui vaut l'autorisation de cesser ses études de droit pour se consacrer exclusivement à la littérature (janvier).

1845
Voyage en Italie, en Suisse et en Franche-Comté (avril-juin).

1846
Mort du docteur Flaubert (15 janvier) et de Caroline Hamard, sœur chérie de l'écrivain (23 mars). Flaubert se retire définitivement à Croisset. Début de sa liaison avec Louise Colet (juillet).

1847
Voyage en Touraine, Bretagne et Normandie avec Maxime Du Camp (mars-juillet).

1848
Flaubert assiste à la révolution de Février à Paris.

1849-1851
Voyage en Orient (Égypte, Beyrouth, Jaffa, Jérusalem, Damas, Smyrne, Athènes, Constantinople, Naples).

1856
Publication de *Madame Bovary* (décembre).

1857
Procès de *Madame Bovary* (janvier-février).

1858
Voyage à Carthage (mai-juin).

1862
Publication de *Salammbô* (novembre).

1863
Début des dîners Magny (décembre).

1865
Voyage à Londres et en Allemagne.

1866
Flaubert, chevalier de la Légion d'honneur grâce à une intervention de la princesse Mathilde (août).

1869
Installation de Flaubert à Paris, rue Murillo (mai). Publication de *L'Éducation sentimentale* (novembre).

1871
Voyage en Belgique (mars).

1874
Publication de *La Tentation de saint Antoine* (avril).

1875
Flaubert, ruiné par sa nièce et son mari, vend ses biens.

1876
Mort de Louise Colet (8 mars) et de George Sand (8 juin), la maîtresse et l'amie.

1877
Publication des *Trois contes* (avril).

1880
Mort de Flaubert, à Croisset (8 mai).

1881
Publication posthume de *Bouvard et Pécuchet* (mars).

Repères bibliographiques

Ablachat (Antoine), ***Gustave Flaubert et ses amis***, Paris, Plon, 1927.

Baldick (Robert), ***Les Dîners Magny***, Paris, Denoël, 1972.

Biasi (Pierre-Marc de), ***Flaubert, l'homme plume***, Paris, Gallimard, 2003.

Brombert (Victor), ***Flaubert par lui-même***, Paris, Seuil, coll. Écrivains de toujours, 1971.

Catalogue de l'exposition « Flaubert », présentée à l'occasion du centenaire de la mort de l'écrivain, Paris, Bibliothèque nationale, 1980-1981.

Courtine (Robert), ***La Vie parisienne***, 3 vol., Paris, Perrin, 1984.

Danger (Pierre), ***Sensations et objets dans les romans de Flaubert***, Paris, Armand Colin, 1973.

Du Camp (Maxime), ***Souvenirs littéraires***, 2 vol., Paris, Hachette, 1882-1883.

Dumesnil (René), ***Gustave Flaubert***, ***l'homme et l'œuvre***, Paris, Nizet, 1943.

Flaubert (Gustave), ***Œuvres complètes***, 16 volumes, Paris, Éditions du Club de l'Honnête homme, 1971-1975.

Goncourt (Edmond et Jules de), ***Journal, Mémoires de la vie littéraire***, édition établie et annoté par Robert Ricatte, 3 volumes, Paris, Robert Laffont, 1989.

Guérin (André), ***La Vie quotidienne en Normandie au temps de Madame Bovary***, Paris, Hachette Littérature, 1975.

Henry (Gilles), ***L'Histoire du monde est une farce, ou la vie de Gustave Flaubert***, Paris, Éditions Charles Corlet, 1980.

Henry (Gilles), ***Promenades en Basse-Normandie avec un guide nommé Flaubert***, Paris, Éditions Charles Corlet, 1990.

Maynial (Édouard), ***Flaubert en son milieu***, Paris, Éditions de la Nouvelle Revue critique, 1927.

Nadeau (Maurice), ***Gustave Flaubert écrivain***, Paris, Les Lettres nouvelles, 1969.

Sartre (Jean-Paul), ***L'Idiot de la famille***, Paris, Gallimard, 1971.

Thibaudet (Albert), ***Gustave Flaubert***, Paris, Gallimard, 1935.

Troyat (Henri), ***Flaubert***, Paris, Flammarion, coll. Grandes biographies, 1988.

Remerciements

Nous exprimons notre gratitude aux propriétaires de ces sites privilégiés qui nous ont permis de réaliser l'essentiel des prises de vues de cet ouvrage, et saluons l'élégance de leur accueil.

Laurence Scherrer a, dans la Normandie de Flaubert, ouvert aux étrangers, dans une atmosphère très littéraire, son Manoir de La Bouille, à Caumont – 27310. Elle vous propose de séjourner dans ses chambres d'hôtes très raffinées et originales, de jouir de la beauté du parc, et de la splendide vue sur la Seine. Tél. : 02 35 18 03 11.

Quand Gustave Flaubert embarque George Sand sur la Seine jusqu'à La Bouille

28 août : J'arrive à Rouen à 1 heure. Je trouve Flaubert à la gare avec une voiture. Il me mène voir la ville, les beaux monuments, la cathédrale, l'hôtel de ville, Saint-Maclou, Saint-Patrice ; c'est merveilleux. Un vieux charnier et des vieilles rues ; c'est très curieux. Nous arrivons à Croisset à 3 heures et demie. La mère de Flaubert est une vieille charmante (soixante-treize ans). L'endroit est délicieux (sur les rives de la Seine), la maison confortable et jolie, et bien arrangée, et un bon service, de la propreté, de l'eau, des prévisions, tout ce qu'on peut souhaiter. Je suis comme un coq en pâte. Flaubert me lit, ce soir, une *Tentation de saint Antoine*. Superbe. Nous bavardons dans son cabinet jusqu'à 2 heures.

29 août : Nous partons à 11 heures par le bateau à vapeur avec Mme Flaubert, sa nièce (Caroline, qui s'était mariée deux ans plus tôt), son amie Mme Vaas, et la fille de celle-ci, Mme de la Chaussée. Nous allons à La Bouille, un temps affreux, pluie et vent. Mais je reste dehors à regarder l'eau qui est superbe... À La Bouille, on reste dix minutes et on revient avec la barre, ou le flot, ou le mascaret, raz de marée. On est rentré à une heure. On fait du feu, on se sèche, on prend le thé. Je repars avec Flaubert pour faire le tour de sa propriété : jardin, terrasses, verger, potager, ferme citadelle, une vieille maison de bois bien curieuse, qui lui sert de cellier. La sente de Moïse (conduisant en haut de la pente). Vue d'en haut sur la Seine (et les flèches de Rouen)... Abri excellent, tout en haut. Le terrain sec et blanc au-dessus. Le verger, très charmant, très poétique. Je m'habille. On dîne très bien. Je joue aux cartes avec les deux vieilles dames (George a soixante-deux ans). Je cause ensuite avec Flaubert et je me couche à 2 heures. Excellent lit ; on dort bien. Mais je retousse ; mon rhume est mécontent ; tant pis pour lui.

Extrait de l'Agenda de George Sand de 1864,
Bibliothèque nationale,
N.a.f. 24826.

Jacques Garcia, décorateur, a ressuscité le château de Champ de Bataille, tant pour ses intérieurs que par la création d'un jardin dédié à la connaissance humaine qui illustre les différents degrés de la matière jusqu'à l'esprit. Il nous a ouvert sa chambre rouge en hommage aux souvenirs de l'auteur de *Madame Bovary*.

Château de Champ de Bataille – Le Neubourg – 27110. Tél. : 02 32 34 84 34.

Notre reconnaissance s'adresse aussi à l'écrivain et historien, Gilles Henry, grâce à qui nous avons pu mettre nos pas, en connaisseur, dans ceux de Gustave Flaubert, à travers les sentiers de sa Normandie.

Merci à ceux qui nous ont permis
de realiser de si jolies ambiances.

ANCIENNE MANUFACTURE ROYALE DE LIMOGES
11, RUE ROYALE
75008 PARIS

ANNE-SOPHIE DUBÉ, L'ODALISQUE DE LA PAGE 129

ASTIER DE VILLATE
1 73, RUE SAINT-HONORÉ
75001 PARIS

BACCARAT
PLACE DES ÉTATS-UNIS
75008 PARIS

BERNARDAUD
11, RUE ROYALE
75008 PARIS

FLEURISTE PIROLLO
MARCHÉ DE MEUDON

MAISON ODIOT
M. ET MME de la MORINIÈRE
7, PLACE DE LA MADELEINE
75008 PARIS

MELINA CHRISOSTOMO
Assistante de M. JACQUES GARCIA

MIMI ET PIERRE TROILLARD
186, RUE DE VAUGIRARD
75015 PARIS

STANISLAS HENRIOT
CHAMPAGNE HENRIOT
REIMS - FRANCE

TANIA TOURJANSKY
92190 MEUDON

TISSUS PRELLE
MARYSE DUSOULIER
5, PLACE DES VICTOIRES
75001 PARIS

Crédit photographique : page 5 © Namur/Keystone

Photogravure Quadrilaser à Ormes
Achevé d'imprimer en juillet 2004
sur les presses de l'imprimerie Bona à Turin
Dépôt légal : août 2004
Imprimé en Italie